PHRASEBOOK
GRE

PHRASEBOOK

GREEK

English edition prepared by First Edition Translations Ltd,
Great Britain
Designed and produced by AA Publishing
First published in 1995 as Wat & Hoe Portugees,
© Uitgeverij Kosmos bv - Utrecht/Antwerpen
Van Dale Lexicografie bv - Utrecht/Antwerpen
This edition © Automobile Association Developments Limited 2005
Reprinted September 2008

A CIP catalogue record for this book is available from the
British Library.

Published by AA Publishing (a trading name of Automobile
Association Developments Limited, whose registered office is
Fanum House, Basingstoke, Hampshire RG21 4EA. Registered
number 1878835).

Typeset by Information Engineers, Cambridge.
Printed and bound in China by Everbest.

Find out more about AA Publishing by visiting our website at
www.theAA.com/bookshop

A03953

Contents

5 On the road 63–81

6 Public transport 82–93

7 Overnight accommodation 94–104

8 Money matters 105–108

9 Post and telephone 109–116

Introduction

● **Welcome to the AA's essential Phrase Books series**, covering the most popular European languages and containing everything you'd expect from a comprehensive language series. They're concise, accessible and easy to understand, and you'll find them indispensable on your trip abroad.

Each guide is divided into 15 themed sections and starts with a pronunciation table which gives you the phonetic spelling to all the words and phrases you'll need to know for your trip, while at the back of the book is an extensive word list and grammar guide which will help you construct basic sentences in your chosen language.

Throughout the book you'll come across coloured boxes with a beside them. These are designed to help you if you can't understand what your listener is saying to you. Hand the book over to them and encourage them to point to the appropriate answer to the question you are asking.

Other coloured boxes in the book – this time without the symbol – give alphabetical listings of themed words with their English translations beside them.

For extra clarity, we have put all English words and phrases in black, foreign language terms in brown and their phonetic pronunciation in italic.

This phrase book covers all subjects you are likely to come across during the course of your visit, from reserving a room for the night to ordering food and drink at a restaurant and what to do if your car breaks down or you lose your traveller's cheques and money. With over 2,000 commonly used words and essential phrases at your fingertips you can rest assured that you will be able to get by in all situations, so let the essential Phrase Book become your passport to a secure and enjoyable trip!

Pronunciation table

The sounds of Greek are not particularly easy for an English speaker. In the pronunciation guide given for each word or phrase, the following system is used:

a	somewhere between southern English **a** in **mast** and **u** in **cup**
b	similar to an English **b** but less aggressive
ch	as Scots **ch** in **loch**
d	similar to an English **d** but less agressive
dh	as English **th** in **the**, **this**, **them**
e	as English **e** in **met**
f	as English **f** in **soft**
g	as English **g** in **go**
gh	a difficult sound: try saying a hard English **g** (as in **grab**) as far down your throat as possible.
h	a more breathy form of the English **h** in **hoot**
i	like the **ee** in **feet**, but make the sound more clipped
k	like the English **c** in **cat**
l	as English **l** in **lick**
m	as English **m** in **mat**
n	as English **n** in **not**
ng	just like the **ng** in **English**
o	like the English **o** in **pop**
oo	like the **oo** in English **ooze**
p	a lot less explosive than an English **p**
r	lightly rolled, as in Italian or Scots: keep your tongue much closer to the back of your teeth than in a English **r**
s	as in English **sit**
t	more or less as in English **tap**
th	as English soft **th** in **thistle**
v	as in English **van**
w	as in English **went**
x	as the **x** in **box**
y	not a vowel but a glide, as in **yes**, **you**, **yacht**
z	as in English **zoo** or the **s** at the end of **was**

Note also the following combinations:
n(g)x somewhere between English **things** and **thinks**
n(g)ch as in the middle of **melancholy**

Stress and accents

In the pronunciation guide the stresses are marked with an accent, e.g. **o patéras** (father). The vowel **ou** is transcribed as **oo** when not stressed and **óo** when stressed. Any two other vowels together in the transcription must be pronounced separately, e.g. **aerodhrómyo** must be pronounced **a-e-rodhrómyo**, as must **oó**, which indicates two independent adjacent **o** sounds.

1

Useful lists

1.1 Today or tomorrow?

What day is it today? __	Τί μέρα είναι σήμερα;
	Ti méra íne símera?
Today's Monday _____	Σήμερα είναι Δευτέρα
	Símera íne dheftéra
– Tuesday _____	Σήμερα είναι Τρίτη
	Símera íne tríti
– Wednesday _____	Σήμερα είναι Τετάρτη
	Símera íne tetárti
– Thursday_____	Σήμερα είναι Πέμπτη
	Símera íne pémpti
– Friday _____	Σήμερα είναι Παρασκευή
	Símera íne paraskeví
– Saturday _____	Σήμερα είναι Σάββατο
	Símera íne sávato
– Sunday _____	Σήμερα είναι Κυριακή
	Símera íne kiriakí
in January _____	τον Ιανουάριο
	ton yanooário
since February _____	από το Φεβρουάριο
	apó to fevrooário
in spring_____	την άνοιξη
	tin ánixi
in summer _____	το καλοκαίρι
	to kalokyéri
in autumn_____	το φθινόπωρο
	to fthinóporo
in winter _____	το χειμώνα
	to himóna
1997 _____	χίλια εννιακόσια εννενήντα εφτά
	hília enyakósia enenínda eftá
the twentieth century___	τον εικοστό αιώνα
	ton ikostó eóna

What's the date today?	Τι ημερομηνία έχουμε σήμερα/Πόσες του μηνός έχουμε σήμερα;
	ti imerominía éhome símera/póses too minós éhome símera?
Today's the 24th	Σήμερα είναι 24 του μηνός
	símera íne ikositéseres too minós
Monday 8 November 1998	Δευτέρα, 8 Νοεμβρίου 1998
	dheftéra ochtó noemvríoo hília enyakósia enenínda ochtó
in the morning	το πρωί
	to proí
in the afternoon	το μεσημέρι
	to mesiméri
in the evening	το βράδυ
	to vrádhi
at night	τη νύχτα
	ti níchta
this morning	σήμερα το πρωί
	símera to proí
this afternoon	σήμερα το μεσημέρι
	símera to mesiméri
this evening	σήμερα το απόγευμα
	símera to apóyevma
tonight	απόψε
	apópse
last night	την περασμένη νύχτα
	timberasméni níchta
this week	αυτή την εβδομάδα
	avtí tin evdhomádha
next month	τον επόμενο μήνα
	ton epómeno mína
last year	πέρυσι
	périsi
next...	τον επόμενο.../την επόμενη.../το επόμενο...
	ton epómeno.../tin epómeni.../to epómeno...

in...days/weeks/ _____ months/years	σε...μέρες/εβδομάδες/μήνες/χρόνια *se...méres/evdhomádhes/hrónia*
...weeks ago _____	πριν από... εβδομάδες *prin apó...evdhomádhes*
day off _____	αργία *aryía*

1.2 Bank holidays

● **The most important** public holidays in Greece are the following:

January 1	(New Year's Day) Η Πρωτοχρονιά
January 6	(Epiphany) Τα Επιφάνια
March 25	(The anniversary of the start of the War of Independence against the Turks in 1826) Εικοστή Πέμπτη Μαρτίου
April/May	(Easter: Greek Easter is celebrated according to the Orthodox Church calendar, and occurs on different dates from British Easter) Πάσχα
May 1	(May Day, Labour Day) Πρωτομαγιά
May/June	(Ascension; Whit Sunday) Της Αναλήψεως
August 15	(Assumption) Η Κοίμησις της Θεοτόκου
October 28	("No! Day": the day on which the Greeks refused the Italian ultimatum in 1940) Εικοστή Ογδόη Οκτωβρίου
December 25	(Christmas) Χριστούγεννα

Most shops, banks and government institutions are closed on these days. Good Friday and Boxing Day are not bank holidays.

1.3 What time is it?

What time is it? _____	Τι ώρα είναι; *ti óra íne?*

It's nine o'clock _____	Είναι εννιά
	íne enyá
– five past ten _____	Είναι δέκα και πέντε
	íne dhéka ke pénde
– a quarter past eleven _	Είναι έντεκα και τέταρτο
	íne éndeka ke tétarto
– twenty past twelve ___	Είναι δώδεκα και είκοσι
	íne dhódheka ke íkosi
– half past one _____	Είναι μιάμιση
	íne myámisi
– twenty-five to three __	Είναι τρεις παρά είκοσι πέντε
	íne tris pará íkosi pénde
– a quarter to four _____	Είναι τέσσερες παρά τέταρτο
	íne téseres pará tétarto
– ten to five _____	Είναι πέντε παρά δέκα
	íne pénde pará dhéka
– twelve noon _____	Είναι δώδεκα το μεσημέρι
	íne dhódheka to mesiméri
– midnight _____	Είναι μεσάνυχτα
	íne mesánichta
half an hour _____	μισή ώρα
	misí óra
What time? _____	Τί ώρα;
	ti óra?
What time can I come _ round?	Τί ώρα μπορώ να περάσω;
	ti óra boró na peráso?
At... _____	Στις...
	stis...
After... _____	Μετά τις...
	metá tis...
Before... _____	Πριν από τις...
	prin apó tis...
Between...and... _____	Μεταξύ...και...
	metaxí... ke...
From...to... _____	Από τις...μέχρι τις...
	apó tis... méhri tis...

In...minutes	Σε...λεπτά	
	se...leptá	
– ...hours	Σε...ώρες	
	se...óres	
– a quarter of an hour	Σ' ένα τέταρτο	
	s' éna tétarto	
– three quarters of	Σε τρία τέταρτα	
an hour	*se tría tétarta*	
early	πολύ νωρίς	
	polí norís	
on time	στην ώρα	
	stin óra	
summertime	θερινή ώρα	
	theriní óra	
wintertime	χειμερινή ώρα	
	himeriní óra	

1.4 One, two, three...

zero	μηδέν	*midhén*
1	ένα	*éna*
2	δύο	*dhío*
3	τρία	*tría*
4	τέσσερα	*téssera*
5	πέντε	*pénde*
6	έξι	*éxi*
7	εφτά	*eftá*
8	οχτώ	*ochtó*
9	εννιά	*enyá*
10	δέκα	*dhéka*
11	ένδεκα	*éndheka*
12	δώδεκα	*dhódheka*
13	δεκατρία	*dhekatría*
14	δεκατέσσερα	*dhekatésera*
15	δεκαπέντε	*dhekapénde*

16	_____	δεκαέξι	*dhekaéxi*
17	_____	δεκαεφτά	*dhekaeftá*
18	_____	δεκαοχτό	*dhekaochtó*
19	_____	δεκαεννιά	*dekhaenyá*
20	_____	είκοσι	*íkosi*
21	_____	είκοσι ένα	*íkosi éna*
22	_____	είκοσι δύο	*íkosi dhío*
30	_____	τριάντα	*triánda*
31	_____	τριάντα ένα	*triánda éna*
32	_____	τριάντα δύο	*triánda dhío*
40	_____	σαράντα	*saránda*
50	_____	πενήντα	*peninda*
60	_____	εξήντα	*exínda*
70	_____	εβδομήντα	*evdhomínda*
80	_____	ογδόντα	*oghdhónda*
90	_____	εννενήντα	*eneninda*
100	_____	εκατό	*ekató*
101	_____	εκατόν ένα	*ekatón éna*
110	_____	εκατό δέκα	*ekató dhéka*
120	_____	εκατόν είκοσι	*ekatón íkosi*
200	_____	διακόσια	*dhiakósia*
300	_____	τριακόσια	*triakósia*
400	_____	τετρακόσια	*tetrakósia*
500	_____	πεντακόσια	*pendakósia*
600	_____	εξακόσια	*exakósia*
700	_____	εφτακόσια	*eftakósia*
800	_____	οχτακόσια	*ochtakósia*
900	_____	εννιακόσια	*enyakósia*
1000	_____	χίλια	*hílya*
1100	_____	χίλια εκατό	*hílya ekató*
2000	_____	δύο χιλιάδες	*dhío hilyádhes*
10,000	_____	δέκα χιλιάδες	*dhéka hilyádhes*
100,000	_____	εκατό χιλιάδες	*ekató hilyádhes*

1,000,000	ένα εκατομμύριο	*éna ekatomírio*
1st	πρώτος	*prótos*
2nd	δεύτερος	*dhéfteros*
3rd	τρίτος	*trítos*
4th	τέταρτος	*tétartos*
5th	πέμπτος	*pémptos*
6th	έκτος	*éktos*
7th	έβδομος	*évdhomos*
8th	όγδοος	*óghdhoos*
9th	ένατος	*énatos*
10th	δέκατος	*dhékatos*
11th	ενδέκατος	*endhékatos*
12th	δωδέκατος	*dhodhékatos*
13th	δέκατος τρίτος	*dhékatos trítos*
14th	δέκατος τέταρτος	*dhékatos tétartos*
15th	δέκατος πέμπτος	*dhékatos pémptos*
16th	δέκατος έκτος	*dhékatos éktos*
17th	δέκατος έβδομος	*dhékatos évdhomos*
18th	δέκατος όγδοος	*dhékatos óghdhoos*
19th	δέκατος ένατος	*dhékatos énatos*
20th	εικοστός	*ikostós*
21st	εικοστός πρώτος	*kostós prótos*
22nd	εικοστός δεύτερος	*ikostós dhéfteros*
30th	τριαντακοστός	*triandakostós*
100th	εκατοστός	*ekatostós*
1000th	χιλιοστός	*hilyostós*

once	μία φορά	*mía forá*
twice	δύο φορές	*dhío forés*
double	το διπλό	*to dhipló*
triple	το τριπλάσιο	*to triplásio*

half _____	το μισό
	to misó
a quarter _____	ένα τέταρτο
	éna tétarto
a third _____	ένα τρίτο
	éna tríto
a few, some_____	μερικά
	meriká
2+4=6 _____	δύο και τέσσερα ίσον έξι
	dhío ke tésera íson éxi
4-2=2 _____	τέσσερα μείον δύο ίσον δύο
	tésera míon dhío íson dhío
2x4=8 _____	δύο επί τέσσερα ίσον οχτώ
	dhío epí tésera íson ochtó
4÷2=2 _____	τέσσερα διά δύο ίσον δύο
	tésera dhía dhío íson dhío
odd/even _____	μονός/ζυγός
	mónos/zighós
total_____	συνολικά
	sinoliká
6x9 _____	έξι επί εννιά
	éxi epí enyá

1.5 The weather

Is the weather going ___ to be good/bad?	Θα έχουμε καλό/κακό καιρό;
	tha éhoome kaló/kakó kyeró?
Is it going to get ___ colder/hotter?	Θα κάνει περισσότερο κρύο/περισσότερη ζέστη;
	tha káni perisótero krío/perisóteri zésti?
What temperature is it___ going to be today?	Τί θερμοκρασία θα κάνει σήμερα;
	ti thermokrasía tha káni símera?
Is it going to rain? ___	Θα βρέξει;
	tha vréxi?

Is there going to be a __ storm?	Θα έχουμε θύελλα;	*tha éhoome thíela?*
Is it going to snow? ____	Θα χιονίσει;	*tha hyonísi?*
Is it going to freeze? ____	Θα κάνει παγωνιά;	*tha káni pagonyá?*
Is the thaw setting in?__	Θα λιώσουν τα χιόνια;	*tha lyósoon ta hyónya?*
Is it going to be foggy?_	Θα πέσει ομίχλη;	*tha pési omíchli?*
Is there going to be a __ thunderstorm?	Θα έχουμε καταιγίδα;	*tha éhoome kateyídha?*
The weather's changing	Αλλάζει ο καιρός	*alázi o kyerós*
It's cooling down _____	Δροσίζει	*dhrosízi*
What's the weather ____ going to be like today/ tomorrow?	Τί καιρό θα έχουμε σήμερα/αύριο;	*ti kyéro tha éhoome símera/ávrio?*

1.6 Here, there...

See also 5.1 Asking for directions

here/there _____	εδώ/εκεί	*edhó/ekí*
somewhere/nowhere ___	κάπου/πουθενά	*kápoo/poothená*
everywhere _____	παντού	*pandóo*
far away/nearby _____	μακριά/κοντά	*makriá/kondá*
to the right/left _____	προς τα δεξιά/αριστερά	*pros ta dhexyá/aristerá*
on the right/left of ____	δεξιά/αριστερά από	*dhexyá/aristerá apó*

straight ahead _____	ίσια
	ísya
via _____	μέσω
	méso
in _____	σε
	se
on _____	πάνω σε
	páno se
under _____	κάτω από
	káto apó
against _____	εναντίον
	enandíon

άνεμος	ζεστός	ριπέςαέρα
wind	hot	gusts of wind
ανέφελος	ηλιόλουστο	συννεφιά
cloudless	sunny	cloudy
αποπνικτικός	θύελλα	τσουχτερός
muggy/oppressive	storm	bitingly cold
αφόρητη ζέστη	καλός	τυφώνας
unbearable heat	fine	cyclone
...βαθμοί κάτω/πάνω	καύσωνας	φυσάει
από το μηδέν	heatwave	it is windy
...degrees	μαλακός/ήπιος	χαλάζι
below/above zero	mild	hail
βαριές νεφώσεις	μέτριος/δυνατός	χιόνι
heavy cloud	άνεμος	snow
βροχερός	medium/strong winds	ψυχρός
damp	μισοσυννεφιασμένος	very cold
βροχή	partly cloudy	
rain	μπόρα	
δροσερός	squall of rain	
cool	ομίχλη	
ελαφρές	mist/fog	
νεφώσεις	παγετός	
light cloud	frost	

19

opposite _____	απέναντι
	apénandi
next to/near _____	δίπλα σε/κοντά σε
	dhípla se/kondá se
in front of _____	μπροστά
	brostá
in the centre _____	στη μέση
	sti mési
forward _____	εμπρός/προς τα εμπρός
	embrós/pros ta embrós
down _____	(προς τα) κάτω
	(pros ta) káto
up _____	(προς τα) πάνω
	(pros ta) páno
inside _____	(προς τα) μέσα
	(pros ta) mésa
outside _____	(προς τα) έξω
	(pros ta) éxo
behind _____	(προς τα) πίσω
	(pros ta) píso
at the front _____	μπροστά
	brostá
at the back _____	πίσω - πίσω
	píso-píso
in the north _____	στο βορρά
	sto vorá
to the south _____	προς το νότο
	pros to nóto
from the west _____	από τη δύση
	apó ti dhísi
from the east _____	της ανατολής
	tis anatolís
north/south/west/ east of _____	βόρεια/νότια/δυτικά/ανατολικά από
	vórya/nótya/dhitiká/ anatolitiká apó

1.7 What does that sign say?

See also 5.4 Traffic signs

ΑΝΔΡΩΝ gents
ΑΝΕΛΚΥΣΤΗΡΑΣ lift
ΑΝΟΙΧΤΟ/ΚΛΕΙΣΤΟ
open/shut
ΑΠΑΓΟΡΕΥΕΤΑΙ Η
ΕΙΣΟΔΟΣ no entry
ΑΠΑΓΟΡΕΥΕΤΑΙ Η
ΦΩΤΟΓΡΑΦΗΣΗ
no photography
ΑΠΑΓΟΡΕΥΕΤΑΙ ΝΑ
ΠΑΤΑΤΕ ΣΤΟ
ΓΡΑΣΙΔΙ
do not walk on the
grass
ΑΠΑΓΟΡΕΥΕΤΑΙ ΤΟ
ΚΑΠΝΙΣΜΑ
no smoking
ΑΠΑΓΟΡΕΥΟΝΤΑΙ
ΤΑ ΚΑΤΟΙΚΙΔΙΑ
ΖΩΑ no pets
ΑΠΟΧΩΡΗΤΗΡΙΑ/
ΤΟΥΑΛΕΤΤΕΣ
lavatories/toilets
ΓΥΝΑΙΚΩΝ ladies
ΕΔΩ ΠΛΗΡΟΦΟΡΙΕΣ
information desk
ΕΙΣΟΔΟΣ entrance
ΕΚΠΤΩΣΕΙΣ
reduction/sale
ΕΚΤΟΣ
ΛΕΙΤΟΥΡΓΙΑΣ
out of order

ΕΛΕΥΘΕΡΗ
ΕΙΣΟΔΟΣ
free entry
ΕΝΟΙΚΙΑΖΕΤΑΙ
to let
ΕΞΟΔΟΣ exit
ΕΞΟΔΟΣ ΚΙΝΔΥΝΟΥ
emergency exit
ΙΔΙΟΚΤΗΣΙΑ
private/private
  property
ΚΙΝΔΥΝΟΣ
danger
ΚΙΝΔΥΝΟΣ
  ΘΑΝΑΤΟΥ danger!
ΚΙΝΔΥΝΟΣ
  ΠΥΡΚΑΓΙΑΣ
fire hazard
ΚΛΕΙΣΜΕΝΟ/ΡΕΖΕΡ
  ΒΕ
booked/reserved
ΚΥΛΙΟΜΕΝΗ ΣΚΑΛΑ
escalator
ΜΗ ΠΟΣΙΜΟ ΝΕΡΟ
no drinking water
ΜΗΝ ΑΓΓΙΖΕΤΕ
do not touch
ΜΗΝ ΕΝΟΧΛΕΙΤΕ
do not disturb
ΟΡΟΦΟΣ
floor
ΠΛΗΡΕΣ full

ΠΛΗΡΟΦΟΡΙΕΣ
information
ΠΡΟΣΟΧΗ ΒΑΦΗ
wet paint
ΠΡΟΣΟΧΗ ΣΚΥΛΟΣ
beware of the dog
ΠΡΟΣΟΧΗ ΤΟ ΣΚΑΛΙ
mind the step
ΠΡΩΤΕΣ ΒΟΗΘΕΙΕΣ
accident and
  emergency service
ΠΩΛΕΙΤΑΙ for sale
ΡΕΣΕΨΙΟΝ reception
ΣΗΜΑ ΚΙΝΔΥΝΟΥ
emergency
  cord/alarm button
ΣΚΑΛΑ stairs
ΣΚΑΛΑ ΠΥΡΚΑΓΙΑΣ
fire escape
ΣΥΡΑΤΕ/ΩΘΗΣΑΤΕ
pull/push
ΤΑΜΕΙΟ
cash desk/booking
  office
ΥΓΡΟ damp
ΥΨΗΛΗ ΤΑΣΙΣ
high tension
  cables/high voltage
ΞΕΠΟΥΛΗΜΑ
clearance sale
ΩΡΕΣ ΛΕΙΤΟΥΡΓΙΑΣ
opening hours

1.8 Telephone alphabet

α	_____	*álfa*	Αλέξανδρος	*Aléxandhros*
β	_____	*víta*	Βασίλιος	*Vasílyos*
γ	_____	*gháma*	Γεώργιος	*Yeóryos*
δ	_____	*dhélta*	Δημήτριος	*Dhimítrios*
ε	_____	*épsilon*	Ελένη	*Eléni*
ζ	_____	*zíta*	Ζωή	*Zoí*
η	_____	*íta*	Ηρακλής	*Iraklís*
θ	_____	*thíta*	Θεόδωρος	*Theódhoros*
ι	_____	*yóta*	Ιωάννης	*Yoánis*
κ	_____	*kápa*	Κωνσταντίνος	*Konstandínos*
λ	_____	*lámdha*	Λεωνίδας	*Leonídhas*
μ	_____	*mi*	Μενέλαος	*Menélaos*
ν	_____	*ni*	Νικόλαος	*Nikólaos*
ξ	_____	*xi*	Ξενοφών	*Xenofón*
ο	_____	*ómikron*	Οδυσσέας	*Odhiséas*
π	_____	*pi*	Περικλής	*Periklís*
ρ	_____	*ro*	Ρόδος	*Ródhos*
σ	_____	*síghma*	Σωτήριος	*Sotiríos*
τ	_____	*taf*	Τιμολέων	*Timoléon*
υ	_____	*ípsilon*	Υψηλάντης	*Ipsilándis*
φ	_____	*fi*	Φώτιος	*Fótyos*
χ	_____	*hi*	Χρήστος	*Chrístos*
ψ	_____	*psi*	Ψάλτης	*Psáltis*
ω	_____	*omégha*	Ωμέγα	*Omégha*

1.9 Personal details

surname_____	επώνυμο
	epónimo
christian name(s) _____	(μικρό) όνομα
	(mikró) ónoma
initials_____	τα αρχικά
	ta arhiká
address (street/number)	η διεύθυνση (οδός / αριθμός)
	idhiéfthinsi (odhós/arithmós)
post code/town _____	ταχυδρομικός κώδικας / αριθμός
	κατοικίας
	tahidhromikós kódhikas/tópos katikías
sex (male/female)_____	φύλο (άρρεν / θήλυ)
	fílo (áren/thíli)
nationality _____	υπηκοότητα
	ipikoótita
date of birth_____	ημερομηνία γεννήσεως
	imerominía yeníseos
place of birth_____	τόπος γεννήσεως
	tópos yeníseos
occupation _____	επάγγελμα
	epàngelma
married/single/divorced	έγγαμος / άγαμος / διεζευγμένος
	éngamos/àgamos/dhiezevgménos
widowed _____	εν χηρεία
	en hiría
(number of) children____	τέκνα (αριθμός τέκνων)
	tékna (arithmós téknon)
passport/identity _____	αριθμός ταυτότητας / διαβατηρίου /
card/driving licence	άδειας οδηγήσεως
number	*arithmós taftótitas / dhiavatíryoo/ádhias*
	odhiyíseos
place and date of issue	τόπος και ημερομηνία έκδοσης
	tópos ke imerominía ékdhosis

2 Courtesies

● It is usual in Greece for friends and relatives of both sexes to kiss each other on both cheeks when meeting and parting company. People who know each other less well shake hands instead.

2.1 Greetings

Hello, Mr Smith	Γειά σας κύριε Σμιθ
	ya sas kírie Smith
Hello, Mrs Jones	Γειά σας κυρία Ντζωνς
	Ya sas kiría Jones
Hello, Peter	Γειά σου Πέτρο
	ya soo Pétro
Hi, Helen	Γειά σου Ελένη
	ya soo Eléni
Good morning, madam	Καλημέρα κυρία
	kaliméra kiría
Good afternoon, sir	Καλησπέρα κύριε
	kalispéra kírie
Good evening	Καλησπέρα
	kalispéra
How are you?	Τί κάνετε;
	ti kánete
Fine, thank you, and you?	Καλά, κι εσείς;
	kalá kyesís?
Very well	Πολύ καλά
	polí kalá
Not very well	Οχι και τόσο καλά
	óhi ke tóso kalá
Not too bad	Ετσι κι έτσι...
	étsi kyétsi
I'd better be going	Φεύγω τώρα
	févgo tóra
I have to be going	Πρέπει να φύγω τώρα
	prépi na fígo tóra

Someone's waiting for me Bye!	Με περιμένουν. Γεια σας !
	Me periménoon. Ya sas!
Goodbye _____	Αντίο
	adío
See you later _____	Θα σε δω αργότερα
	tha se dho argótera
See you in a little while _	Θα σε δω σε λίγο
	tha se dho se lígho
Sleep well _____	Καλό ύπνο
	kaló ípno
Good night _____	Καληνύχτα
	kaliníchta
All the best _____	Στο καλό να πας/όλα καλά
	sto kaló na pas/ óla kalá
Have fun _____	Καλή διασκέδαση
	kalí dhiaskédhasi
Good luck _____	Καλή επιτυχία
	kalí epitihía
Have a nice holiday ____	Καλές διακοπές
	kalés dhiakopés
Have a good trip _____	Καλό ταξίδι
	kaló taxdíhi
Thank you, you too ____	Ευχαριστώ, επίσης
	efharistó, epísis
Say hello to...for me ___	Χαιρετισμούς σε...
	heretizmóos se...

2.2 How to ask a question

Who? _____	Ποιός
	pyós?
Who's that? _____	Ποιός είναι;
	pyós íne?
What? _____	Τί;
	ti?

What's there to see here?	Τί αξιοθέατα έχει εδώ; *ti axiothéata éhi edhó?*
What kind of hotel is that?	Τί είδος ξενοδοχείο είναι αυτό; *ti ídhos xenodhohío íne aftó?*
What time is it?	Τί ώρα είναι; *ti óra íne?*
Where?	Πού; *poo?*
Where's the toilet?	Πού είναι η τουαλέτα; *poo íne i twaléta?*
Where are you going?	Πού πηγαίνετε; *poo piyénete?*
Where are you from?	Από πού έρχεσθε; *apó poo érhesthe?*
How?	Πώς; *pos?*
How far is that?	Πόσο μακριά είναι; *póso makriá íne?*
How long does that take?	Πόση ώρα διαρκεί/κρατάει; *pósi óra dhiarkí/kratái?*
How long is the trip?	Πόσο κρατάει το ταξίδι; *póso kratái to taxídhi?*
How much?	Πόσος; *pósos*
How much is this?	Πόσο κάνει; *póso káni?*
Which?	Ποιό; Ποιά; *pyo? pya?*
Which glass is mine?	Ποιό ποτήρι είναι δικό μου; *pyo potíri íne dhikó moo?*
When?	Πότε; *póte?*
When are you leaving?	Πότε φεύγετε; *póte févyete?*
Why?	Γιατί; *yatí?*

English	Greek
Could you...me? _____	Μπορείτε να με... ; *boríte na me...?*
Could you help me, _____ please?	Μπορείτε να με βοηθήσετε, παρακαλώ; *boríte na me voithísete, parakaló?*
Could you point that ___ out to me?	Μπορείτε να μου το δείξετε; *boríte na moo to dhíxete?*
Could you come_____ with me, please?	Μπορείτε να 'ρθείτε μαζί μου, παρακαλώ; *boríte narthíte mazí moo, parakaló?*
Could you..._____	Θέλετε...;/Μπορείτε... ; *thélete...?/Boríte...?*
Could you reserve some tickets for me, please?	Μπορείτε να μου κλείσετε εισιτήρια, παρακαλώ; *boríte na moo klísete isitíria parakaló?*
Do you know...? _____	Ξέρετε...; *xérete...?*
Do you know another __ hotel, please?	Μήπως ξέρετε κανένα άλλο ξενοδοχείο; *mípos xérete kanéna álo xenodhohío*
Do you have...? _____	Μήπως έχετε...; *mípos éhete...?*
Do you have a...?_____	Μπορείτε να μου δώσετε ένα...; *boríte na moo dhósete éna...?*
Do you have a _____ vegetarian dish, please?	Μήπως έχετε φαγητό χωρίς κρέας; *mípos éhete faitó chorís kréas?*
I'd like... _____	Θα ήθελα... *tha íthela...*
I'd like a kilo of apples, _ please.	Θα ήθελα ένα κιλό μήλα *tha íthela éna kiló míla*
Can I...? _____	Μπορώ... ; *boró...?*
Can I take this? _____	Μπορώ να το πάρω μαζί μου; *boró na to páro mazí moo?*
Can I smoke here?_____	Μπορώ να καπνισω εδώ; *boró na kapníso edhó?*
Could I ask you _____ something?	Μπορώ να ρωτήσω κάτι; *boró na rotíso káti?*

Yes, of course	Ναι, βέβαια/Βεβαίως
	ne, vévea/vevéos
No, I'm sorry	Οχι, λυπάμαι
	óhi, lipáme
Yes, what can I do for you?	Ορίστε
	oríste
Just a moment, please	Μια στιγμή/Ενα λεπτό, παρακαλώ
	mya stighmí/éna leptó parakaló
No, I don't have time now	Οχι, δε με βολεύει τώρα
	óhi dhen me volévi tóra
No, that's impossible	Οχι, δε γίνεται
	óhi, dhe yínete
I think so	Νομίζω
	nomízo
I agree	Κι εγώ το νομίζω
	kyeghó to nomízo
I hope so too	Κι εγώ το ελπίζω
	kyeghó to elpízo
No, not at all	Οχι, καθόλου
	óhi kathóloo
No, no one	Οχι, κανένας
	óhi kanénas
No, nothing	Οχι, τίποτα
	óhi típota
That's (not) right	Ετσι είναι / (Δεν) είναι έτσι
	étsi íne/(dhen) íne étsi
I (don't) agree	(Δε) συμφωνώ μαζί σας
	(dhe) simfonó mazí sas
All right	Καλά
	kalá
Okay	Εντάξει
	endáxi
Perhaps	Ισως/Μπορεί
	ísos/borí

| I don't know | Δεν ξέρω |
| | *dhen xéro* |

2.4 Thank you

Thank you	Ευχαριστώ
	efcharistó
You're welcome	Παρακαλώ
	parakaló
Thank you very much	Ευχαριστώ πολύ
	efcharistó polí
Very kind of you	Πολύ ευγενικό εκ μέρους σας
	polí evyenikó ek méroos sas
I enjoyed it very much	Χάρηκα πολύ
	Chárika polí
Thank you for your trouble	Ευχαριστώ για τον κόπο
	efcharistó ya tongópo
You shouldn't have	Δεν ήταν ανάγκη
	dhen ítan anángi
That's all right	Δεν πειράζει
	dhembirázi

2.5 Sorry

Sorry!	Συγγνώμη
	sighnómi
Excuse me	Με συγχωρείτε
	me sinchoríte
I'm sorry, I didn't know...	Συγγνώμη, δεν ήξερα ότι...
	sighnómi dhen íxera óti...
I do apologise	Με συγχωρείτε
	me sinchoríte
I'm sorry	Λυπάμαι
	lipáme

I didn't do it on purpose, it was an accident	Δεν τό 'κανα επίτηδες, έγινε κατά λάθος
	dhen tókana epítidhes, éyine katá láthos
Never mind _____	Εντάξει έτσι
	endáxi étsi
It could've happened to anyone	Αυτό μπορεί να συμβεί στον καθένα
	aftó borí na simví stongathéna

2.6 What do you think?

Which do you prefer? __	Τί προτιμάτε;
	ti protimáte?
Do you like it?_____	Σου αρέσει;
	soo arési?
Don't you like dancing?	Δε σ' αρέσει να χορεύεις;
	dhe sarési na chorévis?
I don't mind_____	Το ίδιο μου κάνει
	to ídhyo moo káni
Well done! _____	Μπράβο!
	brávo
Not bad!_____	Οχι άσχημο!
	óhi áschimo!
Great! _____	Υπέροχο!
	ipérocho!
Wonderful! _____	Θαυμάσιο!
	thavmásio!
It's really nice here! ____	Τι ωραία που είναι εδώ!
	ti oréa poo íne edhó!
How nice!_____	Τι ωραίο!
	ti oréo!
How nice for you!_____	Χαίρομαι για σας!
	hérome ya sas!

I'm (not) very _____ happy with...	(Δεν) είμαι πολύ ευχαριστημένος/ ευχαριστημένη με... *(dhen) íme polí efcharistiménos/ efcharistiméni me...*
I'm glad that..._____	Χαίρομαι που... *hérome poo ...*
I'm having a great time _	Περνάω μια χαρά *pernáo mya chará*
I'm looking forward to _ it	Περιμένω ανυπόμονα *periméno anipómona*
I hope it'll work out ____	Ελπίζω να πετύχει *elpízo na petíhi*
What a mess! _____	Τί χάλια! *ti hálya!*
That's terrible!_____	Τί απαίσιο! *ti apésyo!*
What a pity!_____	Τί κρίμα! *ti kríma!*
That's filthy!_____	Τί αηδία! *ti aidhía!*
What a load of _____ rubbish!	Τί ανοησίες/σαχλαμάρες! *ti anoisíes/sachlamáres!*
I don't like... _____	Δε μου αρέσει... *dhe moo arési...*
I'm bored to death ____	Πλήττω φοβερά... *plíto foverá*
I've had enough _____	Βαρέθηκα πια *varéthika pya*
I can't take any more___ of this	Δεν το ανέχομαι άλλο *dhen to anéchome álo*
I was expecting _____ something completely different	Περίμενα κάτι τελείως διαφορετικό *perímena káti telíos dhyaforetikó*

3 Conversation

3.1 I beg your pardon?

I don't speak any/ _____ I speak a little...	Δε μιλάω/μιλάω λιγα... *dhe miláo/miláo lígha...*
I'm English _____	Είμαι Άγγλος/Αγγλίδα *íme ánglos/anglídha*
I'm Scottish _____	Είμαι Σκωτσέζος/Σκωτσέζα *íme scotsézos/scotséza*
I'm Irish _____	Είμαι Ιρλανδός/Ιρλανδέζα *íme irlandhós/irlandhéza*
I'm Welsh _____	Είμαι Ουαλλός/Ουαλλή *íme walós/walí*
Do you speak _____ English/French/ German?	Μιλάτε αγγλικά/γαλλικά/γερμανικά; *miláte angliká/ghaliká/yermaniká?*
Is there anyone who _____ speaks...?	Ξέρει κανείς εδώ... ; *xéri kanís edhó...?*
I beg your pardon? _____	Ορίστε;/Τί είπατε; *oríste?/ti ípate?*
I (don't) understand _____	(Δεν) καταλαβαίνω *(dhen) katalavéno*
Do you understand _____ me?	Με καταλαβαίνετε; *me katalavénete?*
Could you repeat that, _ please?	Μπορείτε να το επαναλάβετε, παρακαλώ; *boríte na to epanalávete, parakaló;*
Could you speak more _ slowly, please?	Μπορείτε να μιλάτε πιο αργά, παρακαλώ; *boríte na miláte pyo arghá, parakaló?*
What does that (word) _____ mean?	Τί θα πει αυτό/αυτή η λέξη; *ti tha pi aftó/aftí i léxi?*
Is that similar to/the _____ same as...?	Είναι (περίπου) το ίδιο με... ; *íne (perípoo) to ídhyo me...?*
Could you write that _____ down for me, please?	Μου το γράφετε, παρακαλώ; *moo to ghráfete, parakaló?*

| Could you spell that ___ for me, please? | Μου το συλλαβίζετε, παρακαλώ;
 moo to silavízete, parakaló? |

(See 1.8 Telephone alphabet)

Could you point that ___ out in this phrase book, please?	Μπορείτε να το δείξετε σ' αυτό τον οδηγό; *boríte na to dhíxete saftó tonodhighó?*
One moment, please, ___ I have to look it up	Ένα λεπτό, πρέπει να το ψάξω πρώτα *éna leptó, prépi na to psáxo próta*
I can't find the word/ ___ the sentence	Δεν μπορώ να βρω τη λέξη/τη φράση *dhemboró na vro ti léxi/ti frási*
How do you say _____ that in...?	Πώς λέγεται αυτό στα... ; *pos léyete aftó sta...?*
How do you _____ pronounce that?	Πώς προφέρεται αυτό; *pos proférete aftó?*

3.2 Introductions

May I introduce _____ myself?	Επιτρέψτε μου να συστηθώ *epitrépste moo na sistithó*
My name's... _____	Λέγομαι.../Με λένε... *léghome.../me léne...*
I'm... _____	Είμαι...ο/η *íme...o/i*
What's your name? ___	Πώς λέγεσθε; / Πώς σας λένε; *pos léyesthe?/ pos sas léne?*
May I introduce...? _____	Επιτρέψτε μου να σας συστήσω *epitrépste moo na sas sistíso*
This is my wife/ _____ daughter/mother/ girlfriend	Αυτή είναι η γυναίκα μου/η κόρη μου/η μητέρα μου/η φίλη μου *aftí íne i yinéka moo/i kóri moo/i mitéra moo/i fíli moo*

– my husband/son/ father/boyfriend	Αυτός είναι ο άντρας μου/ο γιός μου/ο πατέρας μου/ο φίλος μου *aftós íne o ándras moo/ o yos moo/o patéras moo/o fílos moo*
How do you do _____	Γειά σας, χαίρομαι για τη γνωριμία σας *ya sas, hérome ya ti ghnorimía sas*
Pleased to meet you ___	Χαίρω πολύ *héro polí*
Where are you from? ___	Από πού είστε; *apó poo íste?*
I'm from _____ England/Scotland/ Ireland/Wales	Είμαι απ' την Αγγλία/τη Σκωτία/την Ιρλανδία/την Ουαλία *íme apó tin anglía/ti scotía/tin irlandhía/tin walía*
What city do you live in?	Σε ποιά πόλη μένετε; *se pya póli ménete?*
In..., it's near..._____	Σε...Είναι κοντά σε... *se...íne kondá se*
Have you been here ___ long?	Είστε πολύ καιρό εδώ; *íste polí keró edhó?*
A few days_____	Μερικές μέρες *merikés méres*
How long are you_____ staying here?	Πόσο καιρό θα μείνετε εδώ; *póso kyeró tha mínete edhó?*
We're (probably) _____ leaving tomorrow/in two weeks	(Μάλλον) θα φύγουμε αύριο/σε δύο εβδομάδες *(málon) tha fíghoome ávrio/se dhío evdhomádhes*
Where are you _____ staying?	Που μένετε; *poo ménete?*
In a hotel/an apartment_	Σ' ένα ξενοδοχείο/σε διαμέρισμα *séna xenodhohío/se dhiamérizma*
On a camp site_____	Σ' ένα κάμπινγκ *séna kámping*
With friends/relatives___	Σε φίλους/σε συγγενείς *se fíloos/se singenís*

Are you here on your ___ own/with your family?	Είστε μόνος σας /μόνη σας /με την οικογένειά σας; *íste mónos sas/móni sas/me tin ikoyényásas?*
I'm on my own _____	Είμαι μόνος μου /μόνη μου *íme mónos moo/móni moo*
I'm with my _____ partner/wife/husband	Είμαι με το /τη σύντροφό μου/τη γυναίκα μου/τον άντρα μου *íme me to/ti síndtrofómoo/ti yinéka moo/ton ándra moo*
– with my family _____	Είμαι με την οικογένειά μου *íme me tin ikoyényámoo*
– with relatives _____	Είμαι με συγγενείς μου *íme me singenís moo*
– with a friend/friends __	Είμαι μ' ένα φίλο/με μία φίλη/με φίλους *íme ména fílo/me mya fíli/me fíloos*
Are you married? _____	Είστε παντρεμένος/παντρεμένη; *íste pandreménos/pandreméni?*
Do you have a steady ___ boyfriend/girlfriend?	Εχεις ένα φίλο/μια φιλενάδα; *éhis éna fílo/mya filenádha?*
That's none of your ____ business	Δε σας ενδιαφέρει/Δε σας πέφτει λόγος *dhe sas endhiaféri/dhe sas péfti lóghos*
I'm married _____	Είμαι παντρεμένος/παντρεμένη *íme pandreménos/pandreméni*
– single_____	Είμαι εργένης *íme eryénis*
– separated _____	Είμαι χωρισμένος/χωρισμένη (από κλίνη και στέγη) *íme chorizménos/chorizméni (apó klíni ke stéyi)*
– divorced _____	Είμαι διεζευγμένος/διεζευγμένη *íme dhiezevghménos/dhiezevghméni*
– a widow/widower ____	Είμαι χήρα/χήρος *íme híra/híros*

I live alone/with_____ someone (m)/ someone (f)	Μένω μόνος μου/μόνη μου/μαζί με το φίλο μου/τη φιλενάδα μου *méno mónos moo/móni moo/mazí me to fílo moo/ti filenádha moo*
Do you have any _____ children/ grandchildren?	Εχετε παιδιά/εγγόνια; *éhete pedhyá/engónya?*
How old are you?_____	Πόσων χρονών είστε; *póson chronón íste?*
How old is she/he? ____	Πόσων χρονών είναι; *póson chronón íne?*
I'm... _____	Είμαι...χρονών *íme...chronón*
She's/he's..._____	Είναι...χρονών *íne...chronón*
What do you do for a __ living?	Τί δουλειά κάνετε; *ti dhoolyá kánete?*
I work in an office_____	Δουλεύω σ' ένα γραφείο *dhoolévo séna ghrafío*
I'm a student/ _____ I'm at school	Σπουδάζω/πηγαίνω σχολείο *spoodházo/piyéno scholío*
I'm unemployed _____	Είμαι άνεργος/άνεργη *íme ánerghos/áneri*
I'm retired _____	Είμαι συνταξιούχος/συνταξιούχα *íme sintaxióochos/sintaxíoocha*
I'm on a disability_____ pension	Είμαι ανίκανος/ανίκανη για εργασία, έχω επίδομα ανικανότητας *íme aníkanos/aníkani ya erghasía,ého epídhoma anikanótitas*
I'm a housewife _____	Είμαι νοικοκυρά *íme nikokirá*
Do you like your job? __	Σας αρέσει η δουλειά σας; *sas arési i dhoolyásas?*
Most of the time_____	Μερικές φορές ναι, μερικές φορές όχι *merikés forés ne, merikés forés óhi*

| I usually do, but I _____ prefer holidays | Συνήθως μ' αρέσει, αλλά οι διακοπές μ' αρέσουν πιο πολύ |
| | *siníthos marési, alá i dhiakopés marésoon pyo polí* |

3.3 Starting/ending a conversation

Could I ask you something?	Μπορώ να σας ρωτήσω κάτι;
	boró na sas rotíso káti?
Excuse me_____	Με συγχωρείτε
	me sinchoríte
Excuse me, could you__ help me?	Συγγνώμη, μήπως μπορείτε να με βοηθήσετε;
	signómi, mípos boríte na me voithísete?
Yes, what's the problem? _____	Ναι, ποιό είναι το πρόβλημά σας;
	ne, pyo íne to próvlimásas?
What can I do for you? _	Τί μπορώ να κάνω για σας;
	ti boró na káno ya sas?
Sorry, I don't have time_ now	Λυπάμαι, δεν έχω καιρό τώρα
	lipáme, dhen écho keró tóra
Do you have a light? ___	Μήπως έχετε φωτιά;
	mípos éhete fotyá?
May I join you? _____	Μπορώ να καθίσω δίπλα σας;
	boró na kathíso dhípla sas?
Could you take a picture of me/us? Press this button	Μπορείτε να με/μας βγάλετε μια φωτογραφία; Να πιέστε αυτό το κουμπί
	boríte na me/mas vghálete mya fotografía? na pyéste avtó to koobí
Leave me alone _____	Άσε με ήσυχο
	áse me ísicho
Get lost _____	Εξαφανίσου
	exafanísoo
Go away or I'll scream _	Αν δε φύγετε, θα βάλω τις φωνές
	an dhe fíyete, tha válo tis fonés

3.4 Congratulations and condolences

Happy birthday/many happy returns __	Χρόνια πολλά *chrónya polá*
Please accept my _____ condolences	Τα συλλυπητήριά μου *ta silipitíryámoo*
I'm very sorry for you __	Ήταν μεγάλο πλήγμα *ítan meghálo plíghma*

3.5 A chat about the weather

See also 1.5 The weather

It's so hot/cold today! __	Τί ζέστη/κρύο που κάνει σήμερα! *ti zésti/krío poo káni símera!*
Nice weather, isn't it? __	Τί ωραίος καιρός, ε; *ti oréos kerós, e?*
What a wind/storm! _____	Τί αέρας/θύελλα! *ti aéras/thíela!*
All that rain/snow! _____	Τί βροχή/χιόνι! *ti vrohí/hyóni!*
All that fog! _____	Τί ομίχλη! *ti omíchli!*
How long has the_____ weather been like this here?	Από πότε κάνει τέτοιον καιρό εδώ; *apó póte káni tétyo keró edhó?*
Is it always this hot/ __ cold here?	Πάντα κάνει τόση ζέστη/τόσο κρύο εδώ; *pánda káni tósi zésti/tóso krío edhó?*
Is it always this dry/_____ wet here?	Εχει πάντα εδώ τόση ξηρασία/υγρασία; *éhi pánda edhó tósi xirasía/ighrasía?*

3.6 Hobbies

Do you have any _____ hobbies?
Έχετε χόμπυ;
éhete hóbi?

I like painting/ _____ reading/photography/
Μ' αρέσει να πλέκω/να διαβάζω/η φωτογραφία
marési na pléko/na dhiavázo/i fotoghrafía

I like music _____
Αγαπώ τη μουσική
aghapó ti moosikí

I like playing the _____ guitar/piano
Μ' αρέσει να παίζω κιθάρα/πιάνο
marési na pézo kithára/pyáno

I like going to the _____ movies
Μ' αρέσει να πηγαίνω στον κινηματογράφο
marési na piyéno stonginimatoghráfo

I like travelling/ _____ sport/fishing/walking
Μ' αρέσει να ταξιδεύω/να κάνω σπορ/να ψαρεύω/να πηγαίνω περίπατο
marési na taxidhévo/na káno spor/na psarévo/na piyéno perípato

3.7 Being the host(ess)

See also 4 Eating out

Can I offer you a _____ drink?
Μπορώ να σας προσφέρω ένα ποτό;
boró na sas prosféro éna potó?

What would you like ___ to drink?
Τί θέλεις να πιεις;
ti thélis na pyis?

Would you like a _____ cigarette/cigar/to roll your own?
Θέλετε ένα τσιγάρο/ένα πούρο/να στρίψετε ένα τσιγάρο;
thélete éna tsigháro/éna póoro/na strípsete éna tsigháro

Something non-alcoholic, please	Θα ήθελα ένα ποτό χωρίς αλκοόλ/ένα αναψυκτικό
	tha íthela éna potó chorís alkól/éna anapsiktikó
I don't smoke	Δεν καπνίζω
	dhen kapnízo

3.8 Invitations

Are you doing anything tonight?	Είσαι ελεύθερος/ελεύθερη απόψε;
	íse eléftheros/eléftheri apópse?
Do you have any plans for today/this afternoon/tonight?	Εχετε κανένα πρόγραμμα για σήμερα/για το απόγευμα/για απόψε;
	éhete kanéna prógrama ya símera/ya to apóyevma/ya apópse?
Would you like to go out with me?	Θα θέλατε να βγούμε έξω μαζί;
	tha thélate na vghóome éxo mazí?
Would you like to go dancing with me?	Θα θέλατε να πάμε να χορέψουμε μαζί;
	tha thélate na páme na chorépsoome mazí?
Would you like to have lunch/dinner with me?	Θα θέλατε να πάμε να φάμε μαζί;
	tha thélate na páme na fáme mazí?
Would you like to come to the beach with me?	Θα θέλατε να πάμε μαζί στην παραλία;
	tha thélate na páme mazí stimbaralía?
Would you like to come into town with us?	Θα θέλατε να' ρθείτε μαζί μας στην πόλη;
	tha thélate narthíte mazí mas stimbóli?
Would you like to come and see some friends with us?	Θα θέλατε να' ρθείτε μαζί μας σε φίλους μας;
	tha thélate narthíte mazí mas se fíloos mas?
Shall we dance?	Πάμε να χορέψουμε;
	páme na chorépsoome?

– sit at the bar? _____	Πάμε να καθίσουμε στο μπαρ; *páme na kathísoome sto bar?*
– get something to ____ drink?	Πάμε να πιούμε κάτι; *páme na pyóome káti?*
– go for a walk/drive? __	Πάμε να κάνουμε μια βόλτα/μια βόλτα με το αυτοκίνητο; *páme na kánoome mya vólta/mya vólta me* *to aftokínito*
Yes, all right_____	Ναι, εντάξει *ne, endáxi*
Good idea _____	Καλή ιδέα *kalí idhéa*
No (thank you) _____	Οχι, (ευχαριστώ) *óhi (efcharistó)*
Maybe later _____	Ισως αργότερα *ísos arghótera*
I don't feel like it_____	Δεν έχω όρεξη *dhen écho órexi*
I don't have time _____	Δεν έχω καιρό *dhen écho keró*
I already have a date___	Εχω ένα άλλο ραντεβού *écho éna álo randevóo*
I'm not very good at ___ dancing/volleyball/ swimming	Δεν ξέρω να χορεύω/να παίζω βόλλεϋ/να κολυμπώ *dhen xéro na chorévo/na pézo vóllei/na* *kolimbó*

3.9 Paying a compliment

You look wonderful!____	Είστε μια χαρά! *íste mya chará!*
I like your car! _____	Τι ωραίο αυτοκίνητο! *ti oréo aftokínito!*
You're a nice boy/girl___	Είσαι πολύ καλό παιδί/κορίτσι *íse polí kaló pedhí/korítsi*

43

What a sweet child! ____	Τί γλυκό παιδάκι!
	ti ghlikó pedháki!
You're a wonderful ____ dancer!	Χορεύετε πολύ καλά
	chorévete polí kalá
You're a wonderful ____ cook!	Μαγειρεύετε πολύ καλά
	mayirévete polí kalá
You're a terrific soccer _ player!	Παίζετε πολύ καλά ποδόσφαιρο
	pézete polí kalá podhósfero

3.10 Chatting someone up

I like being with you____	Μ' αρέσει να είμαι μαζί σου
	marési na íme mazí soo
I've missed you so ____ much	Μου έλειψες πολύ
	moo élipses polí
I dreamt about you ____	Σε είδα στ' όνειρό μου
	se ídha stoniró moo
I think about you all ____ day	Δε βγαίνεις από το νου μου
	dhe vyénis apó to noo moo
You have such a sweet _ smile	Έχεις ένα γλυκό χαμόγελο
	éhis éna ghlikó chamóyelo
You have such ____ beautiful eyes	Έχεις πολύ ωραία μάτια
	éhis polí oréa mátya
I'm in love with you ____	Είμαι ερωτευμένος/ερωτευμένη μαζί σου
	íme erotevménos/erotevméni mazí soo
I'm in love with you too_	Κι εγώ με σένα
	kyeghó me séna
I love you____	Σ' αγαπώ
	saghapó
I love you too ____	Κι εγώ σ' αγαπώ
	kyeghó saghapó

I don't feel as strongly___ about you	Εγώ δεν έχω τέτοια σοβαρά αισθήματα για σένα
	eghó dhen écho tétya sovará esthímata ya séna
I already have a _____ boyfriend/girlfriend	Εχω ήδη φίλο/φιλενάδα
	écho ídhi fílo/filenádha
I'm not ready for that___	Δεν είμαι έτοιμος/έτοιμη γι' αυτό
	dhen íme étimos/étimi yaftó
This is going too fast___ for me	Καλύτερα να μη βιαζόμαστε τόσο
	kalítera na mi viazómaste tóso
Take your hands off ___ me	Μη μ' αγγίζεις
	mi mangízis
Okay, no problem_____	Εντάξει, δεν πειράζει
	endáxi, dhembirázi
Will you stay with me ___ tonight?	Θα μείνεις μαζί μου τη νύχτα;
	tha mínis mazí moo ti níchta
I'd like to go to bed ____ with you	Θέλω να κάνουμε έρωτα
	thélo na kánoome érota
Only if we use a _____ condom	Μόνο με προφυλακτικό
	móno me profilaktikó
We have to be careful ___ about AIDS	Πρέπει να προσέχουμε λόγω του EITZ
	prépi na proséchoome lógho too AIDS
That's what they all ____ say	Ολοι τα ίδια λένε
	óli ta ídhya léne
We shouldn't take any___ risks	Ας μη το διακινδυνέψουμε
	mi to dhiakindhinépsoome
Do you have a _____ condom?	Εχεις προφυλακτικό;
	éhis profilaktikó?
No? In that case we ___ won't do it	Οχι; Τότε δε γίνεται
	óhi? tóte dhe yínete

3.11 Arrangements

When will I see you again?	Πότε θα σε ξαναδώ; *póte tha se xanadhó?*
Are you free over the weekend?	Θα έχετε καιρό το Σαββατοκύριακο; *tha éhete keró to savatokíriako?*
What shall we arrange?	Τί θα κανονίσουμε; *ti tha kanonísoome?*
Where shall we meet?	Πού θα συναντηθούμε; *poo tha sinandithóome?*
Will you pick me/us up?	Θα 'ρθείτε να με/μας πάρετε; *tharthíte na me/mas párete?*
Shall I pick you up?	Να περάσω να σας πάρω; *na peráso na sas páro?*
I have to be home by...	Πρέπει να είμαι σπίτι στις... *prépi na íme spíti stis...*
Can I take you home?	Μπορώ να σας πάω σπίτι; *boró na sas páo spíti?*
I don't want to see you anymore	Δε θέλω να σας ξαναδώ *dhe thélo na sas xanadhó*

3.12 Saying goodbye

Can I write/call you?	Μπορώ να σας γράψω/τηλεφωνήσω; *boró na sas ghrápso/tilefoníso?*
Will you write/call me?	Θα μου γράψετε/τηλεφωνήσετε; *tha moo ghrápsete/tilefonísete?*
Can I have your address/phone number?	Μπορώ να έχω τη διεύθυνσή σας/τον αριθμό του τηλεφώνου σας; *boró na écho ti dhiéfihinsi sas/ton arithmó too tilefónoo sas?*
Thanks for everything	Ευχαριστώ για όλα *efcharistó ya óla*

It was very nice _____	Ηταν πολύ ωραία *ítan polí oréa*
Say hello to... _____	Χαιρετισμούς σε *heretizmóos se...*
All the best _____	Σου εύχομαι ό,τι καλύτερο *soo éfchome óti kalítero*
Good luck _____	Καλή επιτυχία στο μέλλον *kalí epitihía sto mélon*
When will you be _____ back?	Πότε θα ξαναέρθεις; *póte tha xanaérthis?*
I'll be waiting for you _____	Θα σε περιμένω *tha se periméno*
I'd like to see you _____ again	Θα ήθελα πολύ να σε ξαναδώ *tha íthela polí na se xanadhó*
I hope we meet_____ again soon	Ελπίζω να ξαναϊδωθούμε σύντομα *elpízo na xanaidhothóome síndoma*
This is our address. _____ If you're ever in the UK...	Αυτή είναι η διεύθυνσή μας. Αν κάποτε βρεθείτε στο Ηνωμένο Βασίλειο... *aftí íne i dhiéfthinsí mas. an kápote vrethíte sto inoméno vasilío...*
You'd be more than _____ welcome	Είστε πάντα ευπρόσδεκτος/ευπρόσδεκτη *íste pánda efprósdhektos/efprósdhekti*

4 Eating out

● **In Greece** people usually have three meals:
1 το πρωινό (breakfast), between 7am and 10am. Breakfast is light
and consists of a cup of coffee with bread and jam or honey.
2 το γεύμα (lunch), between 1pm and 3pm. Lunch always includes a
hot dish and is the most important meal of the day.
3 το δείπνο (dinner), between 9pm and 1am. Dinner is a hot meal
similar to lunch though a little lighter. It is usually taken with the
family.

4.1 On arrival

I'd like to book a table for seven o'clock, please	Μπορώ να κλείσω ένα τραπέζι γι' απόψε στις εφτά; *boró na klíso éna trapézi yapópse stis eftá?*
I'd like a table for two, please	Θα ήθελα ένα τραπέζι για δύο άτομα *tha íthela éna trapézi ya dhío átoma*
We've/we haven't booked	(Δεν) κλείσαμε τραπέζι *(dhen) klísame trapézi*
Is the restaurant open yet?	Είναι ανοιχτή η κουζίνα; *íne anichtí i koozína?*
What time does the restaurant open/close?	Πότε ανοίγει/κλείνει η κουζίνα; *póte aníyi/klíni i koozína?*
Can we wait for a table?	Μπορούμε να περιμένουμε για ένα τραπέζι; *boróome na periménoome ya éna trapézi?*
Will we have to wait long?	Θα πρέπει να περιμένουμε πολλή ώρα; *tha prépi na periménoome polí óra?*
Is this seat taken?	Είναι ελεύθερη αυτή η θέση; *íne eléftheri aftí i thési?*
Could we sit here/there?	Μπορούμε να καθίσουμε εδώ/εκεί; *boróome na kathísoome edhó/ekí?*
Can we sit by the window?	Μπορούμε να καθίσουμε κοντά στο παράθυρο; *boróome na kathísoome kondá sto paráthiro?*

Κλείσατε τραπέζι;	Do you have a reservation?
Με ποιό όνομα;	What name, please?
Από δω, παρακαλώ	This way, please
Αυτό το τραπέζι είναι κλεισμένο	This table is reserved
Σ' ένα τέταρτο θά 'χουμε ελεύθερο τραπέζι	We'll have a table free in fifteen minutes
Μπορείτε να περιμένετε στο (μπαρ);	Would you like to wait (at the bar)?

Can we eat outside?	Μπορούμε να φάμε κι έξω;
	boróome na fáme kyéxo?
Do you have another chair for us?	Μας φέρνετε ακόμα μια καρέκλα;
	mas férnete akóma mya karékla?
Do you have a highchair?	Μας φέρνετε μια παιδική καρέκλα;
	mas férnete mya pedhikí karékla?
Is there a socket for this bottle-warmer?	Υπάρχει μια πρίζα γι' αυτό το βραστήρα;
	ipárhi mya príza yavtó to vrastíra?
Could you warm up this bottle/jar for me?	Μπορείτε να μου ζεστάνετε αυτό το μπιμπερό/βαζάκι;
	boríte na moo zestánete avtó to biberó/vazàki?
Not too hot, please	Να μην είναι πολύ ζεστό, παρακαλώ
	na min íne polí zestó, parakaló
Is there somewhere I can change the baby's nappy?	Υπάρχει κάποιος χώρος όπου μπορώ να αλλάξω το μωρό;
	ipárhi kápyos chóros όροо boró na aláxo to moró?
Where are the toilets?	Πού είναι η τουαλέτα;
	poo íne i twaléta?

4.2 Ordering

Waiter!/Madam!/Sir! ___	Γκαρσόνι!/Κυρία/Κύριε! *garsóni!/kiría!/kírie!*
We'd like something to ___ eat/a drink	Θέλουμε να φάμε/να πιούμε κάτι *théloome na fáme/na pyóome káti*
Could I have a quick ___ meal?	Μπορώ να φάω κάτι γρήγορα; *boró na fáo káti ghrígora?*
We don't have much ___ time	Βιαζόμαστε *viazómaste*
We'd like to have a ___ drink first	Θέλουμε πρώτα να πιούμε κάτι *théloome próta na pyóome káti*
Could we see the___ menu/wine list, please?	Μπορούμε να δούμε τον κατάλογο/τον κατάλογο κρασιών; *boróome na dhóome tongatálogho/tongatálogho krasyón?*
Do you have a menu ___ in English?	Εχετε ένα κατάλογο στα αγγλικά; *éhete éna katálogho sta angliká?*
Do you have a dish ___ of the day?/Do you have a tourist menu?	Εχετε πιάτο της ημέρας/τουριστικό μενού; *éhete pyáto tis iméras/tooristikó menóo?*
We haven't made a ___ choice yet	Δεν αποφασίσαμε ακόμα *dhen apofasísame akóma*
What do you ___ recommend?	Τί μπορείτε να μας προτείνετε; *ti boríte na mas protínete?*
What are the ___ specialities of the region/the house?	Ποιές είναι οι σπεσιαλιτέ της περιοχής/του μαγαζιού; *pyes íne i spesialité tis periohís/too maghazyóo?*
I like strawberries/ ___ olives	Μ' αρέσουν οι φράουλες/οι ελιές *marésoon i fráooles/i elyés*
I don't like fish/meat... ___	Δε μ' αρέσει το ψάρι/το κρέας/... *dhe marési to psári/to kréas/...*
What's this? ___	Τί είναι αυτό; *ti íne aftó?*

Does it have...in it?	Εχει μέσα...;
	éhi mésa...?
What does it taste like?	Με τί μοιάζει;
	me ti myázi?
Is this a hot or a cold dish?	Αυτό το φαγητό είναι κρύο ή ζεστό;
	aftó to fayitó íne krío i zestó?
Is this sweet?	Αυτό το φαγητό είναι γλυκό;
	aftó to fayitó íne ghlikó?
Is this spicy/hot?	Αυτό το φαγητό είναι πικάντικο/πιπεράτο;
	aftó to fayitó íne pikándiko/piperáto?
Do you have anything else?	Μήπως έχετε κάτι άλλο;
	mípos éhete káti álo?
I'm on a salt-free diet	Απαγορεύεται να τρώω αλάτι
	apaghorévete na tró-o aláti
I can't eat pork	Απαγορεύεται να τρώω χοιρινό κρέας
	apaghorévete na tró-o hirinó kréas
– sugar	Απαγορεύεται να τρώω ζάχαρη
	apaghorévete na tró-o záchari
– fatty foods	Απαγορεύεται να τρώω λίπη
	apaghorévete na tró-o lípi
– (hot) spices	Απαγορεύεται να τρώω (καυτερά) μπαχαρικά
	apaghorévete na tró-o (kafterá) bachariká

Θέλετε να φάτε;	Do you want to eat?
Διαλέξατε τί θέλετε να φάτε;	Have you decided what you want?
Θέλετε ένα απεριτίφ;	Would you like a drink first?
Τί θέλετε να πιείτε;	What would you like to drink?
Καλή όρεξη	Enjoy your meal
Θέλετε ένα γλυκό/ένα καφέ;	Would you like a dessert/coffee?

I'll/we'll have what those people are having	Θέλουμε το ίδιο φαγητό που τρώνε εκείνοι οι άνθρωποι, παρακαλώ *théloome to ídhyo fayitó poo tróne ekíni i ánthropi, parakaló*
I'd like... _____	Θα ήθελα... *tha íthela ...*
We're not having a _____ starter	Δε θέλουμε ορεκτικό *dhe théloome orektikó*
The child will share what we're having	Το παιδί θα φάει λίγο από το δικό μας φαγητό *to pedhí tha fái lígho apó to dhikó mas fayitó*
Could I have some _____ more bread, please?	Παρακαλώ, λίγο ψωμί ακόμα *parakaló, lígho psomí akóma*
– a bottle of water/ _____ wine	Παρακαλώ, ένα μπουκάλι νερό/κρασί ακόμα *parakaló, éna bookáli neró/krasí akóma*
– another helping of... _	Παρακαλώ, μια μερίδα... ακόμα *parakaló, mya merídha ... akóma*
– some salt and _____ pepper	Μας φέρνετε το αλατοπίπερο, παρακαλώ; *mas férnete to alatopípero, parakaló?*
– a napkin _____	Μας φέρνετε μια χαρτοπετσέτα, παρακαλώ; *mas férnete mya chartopetséta, parakaló*
– a spoon _____	Μας φέρνετε ένα κουταλάκι, παρακαλώ; *mas férnete éna kootaláki, parakaló?*
– an ashtray _____	Μας φέρνετε ένα τασάκι, παρακαλώ; *mas férnete éna tasáki, parakaló?*
– some matches _____	Μας φέρνετε σπίρτα, παρακαλώ; *mas férnete spírta, parakaló?*
– some toothpicks _____	Μας φέρνετε οδοντογλυφίδες, παρακαλώ; *mas férnete odhondoghlifídhes, parakaló?*
– a glass of water _____	Μας φέρνετε ένα ποτήρι νερό, παρακαλώ; *mas férnete éna potíri neró, parakaló?*

– a straw (for the child) _	Μας φέρνετε ένα καλαμάκι (για το
	παιδί), παρακαλώ;
	mas férnete éna kalamáki (ya to pédhi),
	parakaló?
Enjoy your meal!_____	Καλή όρεξη!
	kalí órexi!
You too! _____	Επίσης
	epísis
Cheers!_____	Στην υγειά σας!
	stin iyá sas!
The next round's on ___	Το επόμενο κέρασμα είναι δικό μου
me	*to epómeno kyérazma íne dhikó moo*
Could we have a _____	Μπορούμε να πάρουμε τ' απομεινάρια
doggy bag, please?	για το σκύλο μας;
	boróome na króome tapominária ya to
	skílo mas?

4.3 The bill

See also 8.2 Settling the bill

How much is this _____	Πόσο κάνει αυτό το φαγητό;
dish?	*póso káni aftó to fayitó?*
Could I have the bill, ___	Το λογαριασμό, παρακαλώ
please?	*to loghariazmó, parakaló*
All together _____	Ολα μαζί
	óla mazí
Everyone pays _____	Ο καθένας πληρώνει τα δικά του
separately	*o kathénas pliróni ta dhiká too*
Could we have the ___	Μπορούμε να ξαναδούμε τον κατάλογο;
menu again, please?	*boróome na xanadhóome tongatálogho?*
The...is not on the bill _	Το...δεν είναι στο λογαριασμό
	to...dhen íne sto loghariazmó

4.4 Complaints

It's taking a very _____ long time	Αργείτε πολύ *aryíte polí*
We've been here an ____ hour already	Περιμένουμε ήδη μια ώρα *periménoome ídhi mya óra*
This must be a mistake_	Πρέπει να έγινε κάποιο λάθος *prépi na éyine kápyo láthos*
This is not what I _____ ordered	Δεν παράγγειλα αυτό *dhen parángila avtó*
I ordered..._____	Παράγγειλα... *parángila...*
There's a dish missing___	Λείπει ένα φαγητό *lípi éna fayitó*
This is broken/not _____ clean	Αυτό είναι σπασμένο/δεν είναι καθαρό *aftó íne spazméno/dhen íne katharó*
The food's cold_____	Το φαγητό είναι κρύο *to fayitó íne krío*
– not fresh _____	Το φαγητό δεν είναι φρέσκο *to fayitó dhen íne frésko*
– too salty/sweet/spicy _	Το φαγητό είναι πολύ αλμυρό/γλυκό/πικάντικο *to fayitó íne polí almiró/ghlikó/pikándiko*
The meat's not done ___	Το κρέας δεν είναι ψημένο *to kréas dhen íne psiméno*
– overdone _____	Το κρέας είναι πολύ ψημένο *to kréas íne polí psiméno*
– tough_____	Το κρέας είναι σκληρό *to kréas íne skliró*
– off_____	Το κρέας είναι χαλασμένο *to kréas íne chalazméno*
Could I have _____ something else instead of this?	Μπορείτε να μου δώσετε κάτι άλλο; *boríte na moo dhósete káti álo?*

The bill/this amount is not right	Ο λογαριασμός/αυτό το ποσό δεν είναι σωστός/σωστό *o loghariazmós/aftó to posó dhen íne* *sostós/sostó*
We didn't have this ____	Αυτό δεν το είχαμε *aftó dhen to íchame*
There's no paper in the __ toilet	Δεν έχει χαρτί στην τουαλέτα *dhen éhi chartí stin twaléta*
Do you have a _____ complaints book?	Εχετε βιβλίο παραπόνων; *éhete vivlío parapónon?*
Will you call the _____ manager, please?	Φωνάξτε το αφεντικό σας, παρακαλώ *fonáxte to afendikósas, parakaló*

4.5 Paying a compliment

That was a wonderful __ meal	Φάγαμε πολύ καλά *fághame polí kalá*
The food was excellent_	Ηταν πολύ νόστιμο *ítan polí nóstimo*
The...in particular was__ delicious	Προπαντός το...ήταν εξαιρετικό *propandós to...ítan exeretikó*

4.6 The menu

αλκοολούχα ποτά
alcoholic beverages

απεριτίφ
aperitif

επιδόρπια
dessert

ζεστά φαγητά
hot dishes

θαλασσινά
seafood

κατά προτίμηση
prepared as you
 want it

κατάλογος κρασιών
wine list

κρέας
meat

κρύα φαγητά
cold dishes

λαχανικά
vegetables

μεζέδες
mixed starters (also
 used when drinking
 ouzo)

ντόπια φαγητά
local dishes

ορεκτικά
appetisers

πάστες
cakes/pastries

πιάτα της ημέρας
dish of the day

πουλερικά
poultry

πρωινό
breakfast

σούπες
soups

σπεσιαλιτέ
speciality

συμπεριλαμβανομέ
 νης υπηρεσίας
service included

της σχάρας
grilled dishes

της ώρας
prepared while you
 wait

Φ.Π.Α.
VAT

φαγητά για
 χορτοφάγους
vegetarian dishes

ψάρι
fish

57

4.7 Alphabetical list of drinks and dishes

αγγούρι
cucumber

αγκινάρες
globe artichokes

αλάτι
salt

αμύγδαλο (-λα)
almond (s)

αντίδια
endives

αντσούγιες
anchovies

αρακάς
peas

αρνί/αρνίσιο κρέα
lamb

αστακός
lobster

αυγά μάτι
fried eggs

αυγολέμονο
egg and lemon
(sauce or soup)

αχλάδι(α)
pear(s)

βασιλόπιτα
New Year's cake

βατόμουρα
blackberries

βερύκοκα
apricots

βοδινό κρέας
beef

βούτυρο
butter

βραστό
boiled

βυσσινάδα
sour cherry drink

γάλα
milk

γαλακτομπούρεκο
cake made with filo
pastry and
confectioner's
custard

γαλλόπουλο
turkey

γαρίδες
prawns

γεμιστό
stuffed

γιαούρτι
yoghurt

γιαχνί
a stew

γίγαντες
large white beans

γιουβαρλάκια
meatballs

γιουβέτσι
a form of pasta

γλώσσα
sole (fish)

γραβιέρα
cheese

γρανίτα
a drink made with
crushed ice and
fruit

δαμάσκηνο (-να)
plums/prunes

δάφνη
bayleaf

ελιές
olives

ζαμπόν
ham

ζάχαρη
sugar

ζουμί
broth

θυμάρι
thyme

ιμάμ-μπαϊλντί
a dish of aubergines
baked with tomato
and garlic

καβούρι
crab

κακαβιά
a fish soup

καλαμαράκι
squid

καλαμπόκι
corn on the cob

καραβίδα
crayfish

καραμέλλα
a boiled sweet

καρότα
carrots

καρπούζι
water melon

καρύδια
walnuts

κασέρι
hard parmesan-like
  cheese

κάστανο
chestnut

καταΐφι
a cake made with
  honey, and nuts

κατσικάκι
kid

καφές
coffee

καφές φραπέ
iced coffee

κεράσι (α)
cherry (cherries)

κεφαλοτύρι
hard cheese

κεφτέδες
fried meatballs

κιμάς
minced meat

κίτρο
lime

κοκκινιστό
baked in a tomato
  sauce

κοκορέτσι
tripe cooked on a
  skewer

κολοκυθάκι
courgettes

κολοκύθι
marrow/pumpkin

κομπόστα
compote

κοτόπουλο
chicken

κουκιά
broad beans

κουλουράκι (α)
small ring-shaped
  biscuits

κουλούρι
hard ring-shaped
  sesame bread

κουνέλι
rabbit

κουραμπιέδες
cakes made with
  almonds and caster
  sugar

κρασί
wine

κρέας
meat

κρέμα
confectioner's
  custard

κρεμμύδι(α)
onion(s)

κυνήγι
game

λαγός
hare

λάδι
oil

λαχανάκια
  Βρυξελλών
Brussels sprouts

λαχανικό (-κά)
vegetable(s)

λάχανο
cabbage

λεμονάδα
lemonade

λεμόνι
lemon

λουκάνικα
sausages

λουκουμάδες
light doughnuts
  served with spiced
  honey

λουκούμι
Turkish Delight

μαγειρίτσα
an Easter soup made
  from lamb and goat
  entrails

μαϊντανό
parsley

μανιτάρι
mushrooms

μανούρι
a white cheese

μαρίδες
whitebait

μαρμελάδα	μπάμιες	ξίδι/ξύδι
jam	okra	vinegar
μαρούλι	μπαρμπούνι	ομελέτα
lettuce	red mullet	omelette
μέλι	μπιζέλια	ούζο
honey	peas	ouzo (aniseed-
μελιτζάνα	μπιφτέκι	flavoured spirit)
aubergine	burger	ουίσκυ
μελομακάρονα	μπουγάτσα	whiskey
cakes made of honey	a cake made with filo	παγωτό
and nuts	pastry and	ice cream
μήλο	confectioner's	παϊδάκι
apple	custard	lamb chop
μιζήθρα	μπούτι	παντζάρια
a soft goat's cheese	thigh	beetroots
μοσχάρι/μοσχαρίσιο	μπριζόλα βοδινή	πάπια
κρέας	beef chop/cutlet	duck
veal	μπύρα	παπουτσάκια
μοσχοκάρυδο	beer	stuffed aubergines
nutmeg	μυαλά	πάστες
μούρο	brains	cakes
mulberry	μύδια	παστίτσιο
μουσακάς	mussels	minced meat and
a dish made with	νερό	macaroni pie
layers of minced	water	παστό
lamb and aubergine	νεφρά	salted
μούσμουλα	kidneys	πατάτες
loquat	ντολμάδες	potatoes
μουστάρδα	stuffed vine-leaves	πατσάς
mustard	ντομάτες	soup made from tripe
μπακαλιάρος	tomatoes	πεπόνι
dried cod	ντομάτες γεμιστές	melon
μπακλαβάς	stuffed tomatoes	πέστροφα
cake made with filo	ξηροί καρποί	trout
pastry, nuts and	dried fruit	πετεινάρι κρασάτο
honey		coq au vin

Greek	English
πιλάφι	pilaff rice
πιπέρι	pepper
πιπεριά	green or red pepper (vegetable)
πιτσούνι	young pigeons
πλάτη	shoulder
πορτοκαλάδα	orange juice/orangeade
πορτοκάλι	orange
πράσο	leek
ραδίκια	chicory
ραπανάκια	radishes
ρεβύθια	chick-peas
ρέγγα	herring (smoked)
ρετσίνα	wine flavoured with pine resin
ρίγανη	oregano
ροδάκινο	peach
ρόδι	pomegranate
ρύζι	rice
ρυζόγαλο	rice pudding
σαλάτα	salad
σαλιγγάρια	snails
σάλτσα	sauce
σαντιγί	whipped cream
σάντουιτς	sandwich
σαρδέλλες	sardines
σέλινο	celery
σκορδαλιά	dip made from garlic and bread or potato
σκόρδο	garlic
σκουμπρί	mackerel
σοκολάτα	chocolate
σολομός	salmon
σουβλάκι	grilled meat on a skewer
σούπα	soup
σουπιές	cuttle fish
σουτζουκάκια	spicy meat-balls in tomato sauce
σπανάκι	spinach
στα κάρβουνα	barbecued
σταφίδα	raisin
σταφύλια	grapes
στη σχάρα	on the grill
στιφάδο	stew made with shallots and flavoured with sweet wine
στο φούρνο	cooked in the oven
στρείδι	oysters
σύκα	figs
συκώτι	liver
σφυρίδα	grey mullet
ταραμάς	smoked cod's roe
ταραμοσαλάτα	paste made from smoked cod's roe
τασκεμπάμπ	shishkebab

τζατζίκι
cucumber and
   yoghurt dip
τηγανίτα
fritter
τηγανιτό
fried
τόννος
tuna
τούρτα
gateau, layer-cake
τσάι
tea
τσίχλες/μαστίχι
chewing gum
τσικουδιά
a sort of spirit
τσίπουρο
a sort of spirit
τσουρέκι
Easter loaf
τυρί
cheese
Τυρόπιτα
cheese pie
φασκόμηλο
aromatic herb tea
φασολάκια
green beans
φασόλια
haricot beans
φέτα
goat's cheese
φιλέτο
fillet steak

φουντούκια
hazelnuts
φράουλες
strawberries
φράπα
a variety of grapefruit
φρούτο
fruit
φρυγανιά
toast, French-style
φυστίκια
pistachio nuts
χαβιάρι
caviar
χαλβάς
a sweet made with
   semolina, honey
   and nuts
χαμομήλι
camomile
χέλι
eel
χήνα
goose
χοιρινό
pork
χόρτα
green dandelion
   leaves used in salad
χουρμάς
date
χταπόδι
octopus
χυμός
juice

χωριάτικη σαλάτα
a salad made from
   tomatoes,
   cucumber, black
   olives and goat's
   cheese
ψάρι
fish
ψητό
roast/baked
ψωμί
bread

5.1 Asking for directions

Excuse me, could I ask you something?	Συγγνώμη, μπορώ να σας ρωτήσω κάτι; *sighnómi, boró na sas rotíso káti?*
I've lost my way	'Εχασα το δρόμο *échasa to dhrómo*
Is there a(n)... around here?	Ξέρετε κανένα...εδώ κοντά; *xérete kanéna...edhó kondá?*
Is this the way to...?	Αυτός είναι ο δρόμος για..; *aftós íne o dhrómos ya...?*
Could you tell me how to get to... (name of place)	Μπορείτε να μου πείτε πώς μπορώ να πάω σε... ; *boríte na moo píte pos boró na páo se...?*
What's the quickest way to...?	Ποιός είναι ο πιο σύντομος δρόμος για... ; *pyos íne o pyo síndomos dhrómos ya ...?*
How many kilometres is it to...?	Πόσα χιλιόμετρα είναι ακόμα ως...; *pósa hilyómetra íne akóma os...?*
Could you point it out on the map?	Μπορείτε να το δείξετε στο χάρτη; *boríte na to dhíxete sto chartí?*

Δεν ξέρω, δεν είμαι από δω	I don't know, I don't know my way around here
Πήρατε λάθος δρόμο	You're going the wrong way
Πρέπει να γυρίσετε σε...	You have to go back to...
Εκεί θ' ακολουθήσετε τις πινακίδες	From there on just follow the signs
Εκεί θα ξαναρωτήσετε	When you get there, ask again

ίσια
straight ahead

αριστερά
left

δεξιά
right

στρίβω
turn

ακολουθώ
follow

περνάω το δρόμο
cross the road

η διασταύρωση
the intersection

ο δρόμος/η οδός
the street

το φανάρι
the traffic light

το τούνελ
the tunnel

η πινακίδα
διασταύρωση
προτεραιότητας
the 'give way'
sign

το κτίριο
the building

στη γωνιά
at the corner

το ποτάμι
the river

η ανισόπεδη
διασταύρωση
the flyover

η γέφυρα
the bridge

η διάβαση του
τρένου/οι μπάρες
the level crossing

η πινακίδα που
δείχνει το δρόμο
για...
the sign pointing to...

το βέλος
the arrow

5.2 Customs

● **Border documents:** along with your passport you must carry your original documents with you. These include your valid full driving licence (together with paper counterpart if photocard licence), vehicle registration document and motor insurance certificate. Contact your motor insurer for advice at least a month before taking your vehicle overseas to ensure that you are adequately covered.

You may be asked to produce your documents at any time so, to avoid a police fine and/or confiscation of your vehicle, be sure that they are in order and readily available for inspection.

It is compulsory to carry a fire extinguisher, first-aid kit and warning triangle in Greece.

Το διαβατήριό σας, παρακαλώ	Your passport, please
Την πράσινη κάρτα σας, παρακαλώ	Your green card, please
Τον αριθμό κυκλοφορίας σας, παρακαλώ	Your vehicle documents, please
Τη βίζα σας, παρακαλώ	Your visa, please
Πού πάτε;	Where are you heading?
Πόσο καιρό σκοπεύετε να μείνετε;	How long are you planning to stay?
Έχετε τίποτα να δηλώσετε;	Do you have anything to declare?
Ανοίξτε αυτό, παρακαλώ	Open this, please

My children are entered on this passport	Τα παιδιά μου είναι γραμμένα σ' αυτό το διαβατήριο *ta pedhyámoo íne ghraména saftó to dhiavatírio*
I'm travelling through___	Είμαι περαστικός/περαστική *íme perastikós/perastikí*
I'm going on holiday ___ to...	Πηγαίνω για διακοπές σε... *piyéno ya dhiakopés se*
I'm on a business trip __	Είμαι εδώ για δουλειές *íme edhó ya dhoolyés*
I don't know how long I'll be staying yet	Δεν ξέρω ακόμα πόσο καιρό θα μείνω *dhengxéro akóma póso kyeró tha míno*
I'll be staying here for __ a weekend	Θα μείνω εδώ ένα Σαββατοκύριακο *tha míno edhó éna savatokíryako*
– for a few days _____	Θα μείνω εδώ λίγες μέρες *tha míno edhó líyes méres*
– for a week _____	Θα μείνω εδώ μία εβδομάδα *tha míno edhó mía evdhomádha*
– for two weeks _____	Θα μείνω εδώ δύο εβδομάδες *tha míno edhó dhío evdhomádhes*
I've got nothing to declare	Δεν έχω τίποτα να δηλώσω *dhenécho típota na dhilóso*
I've got...with me _____	Έχω...μαζί μου *écho...mazímoo*
– ...cartons of cigarettes	Έχω μία κούτα τσιγάρα μαζί μου *écho mía kóota tsighára mazímoo*
– a bottle of... _____	Έχω ένα μπουκάλι... μαζί μου *écho éna bookáli...mazímoo*
– some souvenirs _____	Έχω μερικά σουβενίρ μαζί μου *écho meriká soovenír mazímoo*
These are personal effects	Αυτά είναι προσωπικά αντικείμενα *aftá íne prosopiká andikímena*
These are not new _____	Αυτά τα πράματα δεν είναι καινούρια *aftá ta prámata dhen íne kenóorya*
Here's the receipt_____	Εδώ είναι η απόδειξη *edhó íne i apódhixi*

This is for private use ___	Αυτό είναι για προσωπική χρήση
	aftó íne ya prosopikí chrísi
How much import duty ___ do I have to pay?	Πόσο φόρο πρέπει να πληρώσω;
	póso fóro prépi na pliróso?
Can I go now? _____	Μπορώ να φύγω τώρα;
	boró na fígho tóra?

5.3 Luggage

Porter! _____	Αχθοφόρε!
	achthofóre!
Could you take this ____ luggage to...?	Παρακαλώ, πηγαίνετε αυτές τις αποσκευές σε...
	parakaló, piyénete aftés tis aposkevés se...
How much do I_____ owe you?	Πόσο σας οφείλω;
	póso sas ofílo?
Where can I find a _____ luggage trolley?	Πού μπορώ να βρω ένα καροτσάκι;
	poo boró na vro éna karotsáki?
Could you store this ___ luggage for me?	Μπορώ να δώσω αυτές τις αποσκευές προς φύλαξη;
	boró na dhóso aftés tis aposkevés pros fílaxi?
Where are the luggage _ lockers?	Που βρίσκονται οι θυρίδες αποσκευών;
	poo vrískonde i thirídhes aposkevón?
I can't get the locker ____ open	Δεν μπορώ να ανοίξω τη θυρίδα
	dhemboró na aníxo ti thirídha
How much is it per _____ item per day?	Πόσο κοστίζει το κομμάτι/ τη μέρα;
	póso kostízi to komáti/ti méra?
This is not my bag/ _____ suitcase	Αυτή δεν είναι δική μου τσάντα/βαλίτσα
	aftí dhen íne dhikímoo tsánda/valítsa
There's one item/bag/ _ suitcase missing still	Λείπει ακόμα ένα κομμάτι/μια τσάντα/μια βαλίτσα
	lípi akóma éna komáti/mya tsánda/mya valítsa
My suitcase is _____ damaged	Η βαλίτσα μου έπαθε κάποια ζημιά
	i valítsa moo épathe kápya zimyá

5.4 Traffic signs

ΑΠΑΓΟΡΕΥΕΤΑΙ Η ΠΡΟΣΠΕΡΑΣΗ
no overtaking

ΑΠΑΓΟΡΕΥΕΤΑΙ Η ΣΤΑΘΜΕΥΣΗ
no parking

ΑΡΓΑ slow

ΑΥΤΟΚΙΝΗΤΟΔΡΟΜΟΣ
road suitable for cars

ΑΦΥΛΑΚΤΗ ΔΙΑΒΑΣΗ
unmanned crossing

ΔΕΥΤΕΡΕΥΩΝ ΔΡΟΜΟΣ
minor road

ΔΙΑΧΩΡΙΣΜΟΣ
road divides

ΔΙΟΔΙΑ toll

ΔΩΣΕΤΕ ΠΡΟΤΕΡΑΙΟΤΗΤΑ
give way

ΕΘΝΙΚΗ ΟΔΟΣ (ΜΕ ΔΙΟΔΙΑ)
motorway (with toll)

ΕΙΣΟΔΟΣ
entrance

ΕΛΑΤΤΩΣΑΤΕ ΤΑΧΥΤΗΤΑ
reduce speed

ΕΛΕΥΘΕΡΗ ΚΥΚΛΟΦΟΡΙΑ
clearway

ΕΠΑΡΧΙΑΚΗ ΟΔΟΣ
minor road

ΕΠΙΚΙΝΔΥΝΗ ΔΙΑΣΤΑΥΡΩΣΗ
dangerous junction

ΕΠΙΚΙΝΔΥΝΗ ΚΑΤΩΦΕΡΕΙΑ
steep hill

ΕΠΙΚΙΝΔΥΝΗ ΣΤΡΟΦΗ
dangerous bend

ΕΞΟΔΟΣ exit

ΕΞΟΔΟΣ ΟΧΗΜΑΤΩΝ
exit for heavy goods vehicles

Η ΤΑΧΥΤΗΤΑ ΕΛΕΓΧΕΤΑΙ ΜΕ ΡΑΝΤΑΡ
radar speed checks

ΚΑΤΟΛΙΣΘΗΣΕΙΣ
loose chippings

ΚΕΝΤΡΟ centre

ΚΙΝΔΥΝΟΣ
danger

ΚΛΕΙΣΤΗ ΟΔΟΣ
road closed

ΚΥΚΛΟΦΟΡΙΑ ΑΠΟ ΑΝΤΙΘΕΤΗ ΚΑΤΕΥΘΥΝΣΗ
oncoming traffic

ΜΟΝΟΔΡΟΜΟΣ
one-way street

ΝΟΣΟΚΟΜΕΙΟ
hospital

ΟΔΟΣ ΠΡΟΤΕΡΑΙΟΤΗΤΑΣ
road with priority over vehicles entering from side roads

ΠΑΡΑΚΑΜΠΤΗΡΙΟΣ
diversion

ΠΕΖΟΔΡΟΜΟΣ
pavement

ΠΕΡΙΜΕΝΕΤΕ wait

ΠΡΟΣΟΧΗ
look out!

ΠΡΟΣ ΠΑΡΑΛΙΑ
to the beach

ΣΤΑΘΜΟΣ ΠΡΩΤΩΝ ΒΟΗΘΕΙΩΝ
first aid post

ΣΤΕΝΩΜΑ ΟΔΟΣΤΡΩΜΑΤΟΣ
road narrows

ΣΤΡΟΦΕΣ bends

ΤΕΛΟΣ ΑΠΑΓΟΡΕΥΜΕΝΗΣ ΖΩΝΗΣ
end of forbidden zone

ΥΨΟΣ ΠΕΡΙΟΡΙΣΜΕΝΟ
restricted height

ΧΩΜΑΤΟΔΡΟΜΟΣ
packed-earth road

The parts of a car

battery	η μπαταρία	i bataría
rear light	το πίσω φως	to píso fos
rear-view mirror	ο καθρέφτης οδηγήσεως	o kathréftis odhiyíseos
reversing light	το πίσω φανάρι πορείας	to píso fanári porías
aerial	η αντένα	i anténa
car radio	το ραδιόφωνο του αυτοκινήτου	to radhiófono too aftokinítoo
petrol tank	το ρεζερβουάρ	to rezervwár
sparking plugs	το μπουζί	to boozí
fuel filter	το φίλτρο καυσίμων	to fíltro kafsímon
fuel pump	η αντλία καυσίμων	i andlía kafsímon
wing mirror	ο εξωτερικός καθρέφτης	o exoterikós kathréftis
bumper	ο προφυλακτήρας	o profilaktíras
carburettor	το καρμπυρατέρ	to karbiratér
crankcase	το κάρτερ	to kárter
cylinder	ο κύλινδρος	o kílindhros
ignition	οι πλατίνες	i platínes
warning light	η λάμπα ελέγχου	i lámpa elénchoo (to)
dynamo	το δυναμό	to dhinamó
accelerator	το πηδάλι γκάζι	to pidháli gaz i
handbrake	το χειρόφρενο	to hirófreno
valve	η βαλβίδα	i valvídha
silencer	ο σιγαστείρας	o sighastíras
boot	το πορτμπαγκάζ	to portbagáz
headlight	ο προβολέας	o provoléas
crank shaft	ο στροφαλοφόρος	o strofalofóros
air filter	το φίλτρο αέρος	to fíltro aéros
fog lamp	το πίσω φως ομίχλης	to píso fos omíchlis
engine block	το σώμα της μηχανής	to sóma tis mihanís

camshaft	ο εκκεντροφόρος άξονας	o ekendrofóros áxonas
oil filter	το φίλτρο λαδιού	to fíltro ladhyóo
oil pump	η αντλία λαδιού	i andlía ladhyóo
dipstick	ο δείκτης λαδιού	o dhíktis ladhyóo
pedal	το πηδάλι	to pidháli
door	η πόρτα	i pórta
radiator	το ψυγείο	to psiyío
brake disc	ο δίσκος του φρένου	o dhiskos too frénoo
spare wheel	η ρεσέρβα	i resérva
indicator	το φλας	to flas
windscreen wiper	ο γυαλοκαθαριστήρας	o yalokatharistíras
shock absorbers	τα αμορτισέρ	ta amortisér
sunroof	η κινητή σκεπή	i kinití skepí
starter motor	το στάρτερ	to stárter
steering column	η στήλη του τιμονιού	i stíli too timonyóo
exhaust pipe	η εξάτμιση	i exátmisi
seat belt	η ζώνη ασφαλείας	i zóni asfalías
fan	ο ανεμιστήρας	o anemistíras
distributor cables	οι αγωγοί διανομής	i aghoyí dhianomís
gear lever	ο λεβιές αλλαγής ταχυτήτων	i levyés alayís tahitíton
windscreen	το παρμπρίζ	to parbríz
water pump	η αντλία νερού	i andlía neróo
wheel	η ρόδα	i ródha
hubcap	το καπάκι της ρόδας	to kapáki tis ródhas
piston	το έμβολο	to émvolo

5.5 The car

● **Particular traffic regulations:**
- **maximum speed** for cars:
120km/h on motorways
90km/h or 110km/h outside built-up areas
50km/h in built-up areas
- **remember to drive on the right** and that traffic approaching from
the right usually has priority

5.6 The petrol station

● **Unleaded and lead replacement (super) petrol** are available, as
is diesel. It is forbidden to carry petrol in a can in a vehicle

How many kilometres to the next petrol station, please?	Πόσα χιλιόμετρα είναι ως το πλησιέστερο βενζινάδικο; *pósa hilyómetra íne os to plisiéstero venzinádhiko?*
I would like...litres of..., please	Βάλτε μου... λίτρα *váltemoo...lítra*
– super_____	Βάλτε μου... λίτρα σούπερ *váltemoo...lítra sóoper*
– leaded_____	Βάλτε μου... λίτρα απλή βενζίνη *váltemoo...lítra aplí venzíni*
– unleaded_____	Βάλτε μου... λίτρα αμόλυβδη *váltemoo...lítra amólivdhi*
– diesel_____	Βάλτε μου... λίτρα ντήζελ *váltemoo...lítra dízel*

Fill her up, please	Γεμίστε το, παρακαλώ
	yemísteto, parakaló
Could you check...?	Ελέγξτε το... , παρακαλώ
	eléngxte to ... parakaló
– the oil level	Ελέγξτε το λάδι, παρακαλώ
	eléngxte to ládhi, parakaló
– the tyre pressure	Ελέγξτε τα λάστιχα, παρακαλώ
	eléngxte ta lásticha, parakaló
Could you change the oil, please?	Μπορείτε να αλλάξετε τα λάδια;
	boríte na aláxete ta ládhya?
Could you clean the windows/the windscreen, please?	Μπορείτε να καθαρίσετε τα τζάμια/το παρ-μπρίζ;
	boríte na katharísete ta tzámya/to parbríz?
Could you give the car a wash, please?	Μπορείτε να πλύνετε το αυτοκίνητο;
	boríte na plínete to aftokínito?

5.7 Breakdown and repairs

I'm having car trouble Could you give me a hand?	'Επαθα βλάβη. Μπορείτε να με βοηθήσετε;
	épatha vlávi. boríte na me voithísete?
I've run out of petrol	'Εμεινα από βενζίνη
	émina apó venzíni
I've locked the keys in the car	'Εχω αφήσει τα κλειδιά στο αυτοκίνητο
	écho afísi ta klidhyá sto aftokínito
The car/motorbike/ moped won't start	Το αυτοκίνητο/η μοτοσικλέτα/το μηχανάκι δεν παίρνει μπρος
	to aftokínito/i motosikléta/to michanáki dhembérni bros
Could you contact the recovery service for me, please?	Μπορείτε να τηλεφωνήσετε στην ΕΛΠΑ;
	boríte na tilefonísete stin elpá;

Could you call a _____ garage for me, please?	Μπορείτε να τηλεφωνήσετε σ' ένα γκαράζ;
	boríte na tilefonísete séna garáz?
Could you give me_____ a lift...?	Μπορείτε να με πάρετε μαζί σας;
	boríte na me párete mazísas?
– to a garage/into _____ town?	Μπορείτε να με πάτε σ' ένα γκαράζ/στην πόλη;
	boríte na me páte séna garáz/stim bóli?
– to a phone booth? ___	Μπορείτε να με πάτε σ' ένα τηλεφωνικό θάλαμο;
	boríte na me páte séna tilefonikó thálamo?
Can we take my _____ bicycle/moped?	Μπορούμε να πάρουμε και το ποδήλατό μου/το μηχανάκι μου;
	boróome na pároome kye to podhílatómoo/to michanákimoo
Could you tow me to___ a garage?	Μπορείτε να με τραβήξετε σ' ένα γκαράζ;
	boríte na me travíxete séna garáz?
There's probably_____ something wrong with...(See 5.5 and 5.8)	Πιθανόν να έχει κάτι το...
	pithanón na éhi káti to...
Can you fix it? _____	Μπορείτε να το φτιάξετε;
	boríte na to ftyáxete?
Could you fix my tyre? _	Μπορείτε να κολλήσετε το λάστιχό μου;
	boríte na kolísete to lastichómoo?
Could you change this _ wheel?	Μπορείτε ν' αλλάξετε αυτή τη ρόδα;
	boríte naláxete aftí ti ródha?
Can you fix it so it'll____ get me to...?	Μπορείτε να το φτιάξετε για να μπορώ να πάω μέχρι... ;
	boríte na to ftyáxete ya na boró na páo méchri...?
Which garage can _____ help me?	Ποιό γκαράζ μπορεί να με βοηθήσει;
	pyo garáz borí na me voithísi?

When will my _____ car/bicycle be ready?	Πότε θα είναι έτοιμο το αυτοκίνητό μου/το ποδήλατό μου; *póte tha íne étimo to avtokínitómoo/to podhilatómoo?*
Can I wait for it here? __	Μπορώ να περιμένω εδώ; *boró na periméno edhó?*
How much will it cost? _	Πόσο θα κοστίσει; *póso tha kostísi?*
Could you confirm the _ details of the bill?	Μπορείτε να διευκρινήσετε το λογαριασμό; *boríte na dhiefkrinísete to loghariazmó?*
Can I have a receipt ___ for the insurance?	Μπορείτε να μου δώσετε μια απόδειξη για την ασφάλεια; *boríte na moo dhósete mya apódhixi ya tin asfálya?*

The parts of a bicycle

rear lamp	το πίσω φως	to píso fos
rear wheel	η πισινή ρόδα	i pisiní ródha
(luggage) carrier	η σχάρα	i schára
bicycle fork	η κεφαλή διχαλωτού άξονος	i kefalí dhichalotóo áxonos
bell	το κουδούνι	to koodhóoni
crank	η μανιβέλα	i manivéla
gear change	η αλλαγή ταχυτήτων	i alayí tahitíton
wire	το συρματάκι	to sirmatáki
dynamo	το δυναμό	to dhinamó
bicycle trailer	το ποδήλατο με ρυμουλκούμενο καροτσάκι	to podhílato me rimoolkóomeno karotsáki
frame	ο σκελετός	o skeletós
dress guard	ο προφυλακτήρας φορεμάτων	o profilaktíras foremáton
chain guard	η αλυσίδα	i alisídha
chain lock	η αλυσίδα (για το κλείδωμα του ποδηλάτου)	i alisídha (ya to klídhoma too podhilátoo)
milometer	το κοντέρ	o kontér
child's seat	η παιδική σέλα	i pedhikí séla
headlamp	το φανάρι	to fanári
bulb	η λάμπα	i lámpa
pedal	το πηδάλι	to pidháli
pump	η τρόμπα	i trómba
reflector	ο πίσω αντανακλαστήρας	o píso andanaklistíras
break pad	το τακάκι	to takáki
brake cable	το καλώδιο του φρένου	to kalódhyo too frénoo
ring lock	η κυκλική κλειδαριά	i kiklikí klidharyá

76

carrier straps	τα λουριά της σχάρας	*ta looryá tis scháras*
tachometer	το ταχύμετρο	*to tahímetro*
spoke	η ακτίνα της ρόδας	*i aktína tis ródhas*
mudguard	το φτερό	*o fteró*
handlebar	το τιμόνι	*to timóni*
chain wheel	η ρόδα της αλυσίδας	*i ródha tis alisídhas*
crank axle	ο άξονας του πηδαλιού	*too pidhalyóo áxonas*
rim	η ζάντα	*i zánda*
valve	η αεροβαλβίδα	*i aerovalvídha*
valve tube	το σωληνάκι της αεροβαλβίδας	*to solináki tis aerovalvídhas*
gear cable	το καλώδιο επιτάχυνσης	*to kalódhyo epitáchinsis*
front fork	η μπροστινή φουρκέτα	*i brostiní foorkéta*
front wheel	η μπροστινή ρόδα	*i brostiní ródha*
seat	η σέλα	*i séla*

5.8 The bicycle/moped

● **Cycle paths** are non-existent in Greece, and little consideration
for cyclists is shown on the roads. In tourist places bikes and
mopeds can be hired at tourist centres. The maximum speed for
mopeds is 40km/h, both inside and outside built-up areas.
Passengers may only be carried on small motorcycles clearly
designed with a passenger seat. A crash helmet is compulsory.

Δεν έχω ανταλλακτικά για το αυτοκίνητό σας/το ποδήλατό σας	I don't have parts for your car/bicycle
Πρέπει να πάρω τα ανταλλακτικά από κάπου αλλού	I have to get the parts from somewhere else
Πρέπει να παραγγείλω τα ανταλλακτικά	I have to order the parts
Αυτό θέλει μισή μέρα	That'll take half a day
Αυτό θέλει μια μέρα	That'll take a day
Αυτό θέλει μερικές μέρες	That'll take a few days
Αυτό θέλει μια εβδομάδα	That'll take a week
Το αυτοκίνητό σας είναι εντελώς διαλυμένο	Your car is a write-off
Δεν μπορούμε να κάνουμε τίποτα πια	It can't be repaired
Το αυτοκίνητο/η μοτοσικλέτα/το μηχανάκι/το ποδήλατο είναι έτοιμο στις...	The car/motor bike/moped/bicycle will be ready at... o'clock

5.9 Renting a vehicle

I'd like to rent a... _____	Θα ήθελα να νοικιάσω ένα...
	tha íthela na nikyáso éna...
Do I need a (special) _____ licence for that?	Χρειάζομαι μια (ορισμένη) άδεια οδηγήσεως γι' αυτό;
	chriázome mya (orizméni) ádhya odhiyíseos yavtó?
I'd like to rent the... _____ for...	Θέλω να νοικιάσω το... για...
	thélo na nikyáso to...ya...
– one day _____	Θέλω να νοικιάσω το... για μία μέρα
	thélo na nikyáso to...ya mía méra
– two days _____	Θέλω να νοικιάσω το... για δύο μέρες
	thélo na nikyáso to...ya dhío méres
How much is that per _____ day/week?	Πόσο κάνει την ημέρα/την εβδομάδα;
	póso káni tin iméra/tin evdhomádha?
How much is the _____ deposit?	Πόσο είναι η εγγύηση;
	póso íne i engíisi?
Could I have a receipt _____ for the deposit?	Μπορείτε να μου δώσετε μια απόδειξη ότι πλήρωσα την εγγύηση;
	boríte ne moo dhósete mya apódhixi óti plírosa tin engíisi?
How much is the _____ surcharge per kilometre?	Πόσο είναι το συμπληρωματικό ποσό για κάθε χιλιόμετρο;
	póso íne to simbliromatikó posó ya káthe hilyómetro?
Does that include _____ petrol?	Είναι αυτό μαζί με τη βενζίνη;
	íne aftó mazí me ti venzíni?
Does that include_____ insurance?	Είναι αυτό μαζί με την ασφάλεια;
	íne aftó mazí me tin asfálya?
What time can I pick _____ the...up tomorrow?	Τί ώρα μπορώ να περάσω αύριο να πάρω το...;
	ti óra boró na peráso ávrio na páro to...?

When does the...have to be back?	Πότε πρέπει να επιστρέψω το... ; *póte prépi na epistrépso to...?*
Where's the petrol tank?	Πού βρίσκεται το ρεζερβουάρ; *poo vrískete to rezervwár?*
What sort of fuel does it take?	Τι είδος καύσιμα χρειάζεται; *ti ídhos káfsima chriázete?*

5.10 Hitchhiking

Where are you heading?	Πού πηγαίνετε; *poo piyénete?*
Can I come along?	Μπορείτε να με πάρετε μαζί σας; *boríte na me párete mazísas?*
Can my boyfriend/ girlfriend come too?	Μπορείτε να πάρετε και το φίλο μου/τη φίλη μου; *boríte na párete kye to fílomoo/ti fílimoo?*
I'm trying to get to...	Εγώ πηγαίνω σε... *eghó piyéno se...*
Is that on the way to...?	Βρίσκεται αυτό στο δρόμο για... *vrískete aftó sto dhrómo ya...*
Could you drop me off...?	Μπορείτε να με αφήσετε σε... ; *boríte na me afísete se...?*
– here?	Μπορείτε να με αφήσετε εδώ; *boríte na me afísete edhó?*
– at the exit for...?	Μπορείτε να με αφήσετε στην έξοδο για... ; *boríte na me afísete stin éxodho ya...?*
– in the centre?	Μπορείτε να με αφήσετε στο κέντρο; *boríte na me afísete sto kéndro?*
– at the next roundabout?	Μπορείτε να με αφήσετε στην επόμενη ροτόντα; *boríte na me afísete stin epómeni*

Could you stop here, please?	Μπορείτε να σταματήσετε εδώ, παρακαλώ; *boríte na stamatísete edhó, parakaló?*
I'd like to get out here	Θέλω να κατεβώ εδώ *thélo na katevó edhó*
Thanks for the lift	Ευχαριστώ για την εξυπηρέτηση *efcharistó ya tin exipirétisi*

6.1 In general

Announcements

Το τρένο για..., που φεύγει στις...έχει καθυστέρηση... λεπτών	The...train to...has been delayed by...minutes
Στη γραμμή...φτάνει τώρα το τρένο για.../από...	The train now arriving at platform...is the...train to.../from...
Στη γραμμή...βρίσκεται ακόμα το τρένο για...	The...train for...is still at platform...
Το τρένο για...φεύγει σήμερα από την πλατφόρμα...	Today the...train to...is due to leave from platform...
Φτάνουμε τώρα στο σταθμό...	We're now approaching...

Where does this train go to?	Πού πηγαίνει αυτό το τρένο; *poo piyéni aftó to tréno?*
Does this boat go to...?	Αυτό το πλοίο πηγαίνει σε...; *aftó to plío piyéni se ...?*
Can I take this bus to...?	Μπορώ να πάω σε...με το λεωφορείο; *boró na páo se ... me to leoforío?*
Does this train stop at...?	Αυτό το τρένο σταματάει σε...; *aftó to tréno stamatái se ...?*
Is this seat taken/free/ reserved?	Αυτή η θέση είναι πιασμένη/ελεύθερη/κλεισμένη; *aftí i thési íne pyazméni/eléftheri/klizméni?*
I've booked...	Έχω κλείσει... *écho klísi ...*
Could you tell me where I have to get off for...?	Μου λέτε πού πρέπει να κατεβώ για...; *moo léte poo prépi na katevó ya...?*

Could you let me _____ know when we get to...?	Μπορείτε να με προειδοποιήσετε όταν θα φτάνουμε κοντά σε...; *boríte na me proidhopiísete ótan tha ftánoome kondá se...?*
Could you stop at the __ next stop, please?	Μπορείτε να σταματήσετε στην επόμενη στάση, παρακαλώ; *boríte na stamtísete stin epómeni stási, parakaló?*
Where are we now? ____	Πού είμαστε εδώ; *poo ímaste edhó?*
Do I have to get off ____ here?	Πρέπει να κατεβώ εδώ; *prépi na katevó edhó?*
Have we already_____ passed...?	Περάσαμε κιόλας...; *perásame kyólas...?*
How long have I _____ been asleep?	Πόση ώρα κοιμήθηκα; *pósi óra kimíthika?*
How long does _____ the...stop here?	Πόση ώρα κάνει στάση εδώ το... ; *pósi óra káni stási edhó to...?*

6.2 Questions to passengers

Ticket types

Πρώτη ή δεύτερη θέση;	First or second class?
Απλό εισιτήριο ή με επιστροφή;	Single or return?
Καπνίζοντες ή μη καπνίζοντες;	Smoking or non-smoking?
Στο παράθυρο ή στο διάδρομο;	Window or aisle?
Μπροστά ή πίσω;	Front or back?
Απλή θέση ή κουκέτα;	Seat or couchette?
Πάνω, στη μέση ή κάτω;	Top, middle or bottom?
Τουριστική θέση ή μπιζνεσκλάς	Tourist class or business class?
Καμπίνα ή απλή θέση;	Cabin or seat?
Για ένα ή δύο άτομα;	Single or double?
Με πόσα άτομα ταξιδεύετε;	How many are travelling?

Destination

Πού πηγαίνετε;	Where are you travelling to?
Πότε φεύγετε;	When are you leaving?
Το...σας φεύγει στις...	Your...leaves at...
Πρέπει ν' αλλάξετε τρένο	You have to change trains
Πρέπει να κατεβείτε σε...	You have to get off at...
Πρέπει να πάτε μέσω...	You have to travel via...
Η αναχώρηση είναι τη...	The outward journey is on...
Η επιστροφή είναι τη...	The return journey is on...
Πρέπει να επιβιβαστείτε στις... το αργότερο	You have to be on board by...

Inside the vehicle

Το εισιτήριό σας, παρακαλώ	Your ticket, please
Τη βεβαίωση της κράτησης, παρακαλώ	Your reservation, please
Το διαβατήριό σας, παρακαλώ	Your passport, please
Κάθεστε σε λάθος θέση	You're in the wrong seat
Βρίσκεσθε σε λάθος...	You're on/in the wrong...
Αυτή η θέση είναι κλεισμένη	This seat is reserved
Πρέπει να πληρώσετε συμπληρωματικό ποσό	You'll have to pay a supplement
Το... έχει καθυστέρηση... λεπτών	The...has been delayed by...minutes

6.3 Tickets

Can I come back on ___ the same ticket?	Είναι με επιστροφή αυτό το εισιτήριο; *íne me epistrofí aftó to isitírio?*
Can I change on_____ this ticket?	Μπορώ να συνεχίσω μ' αυτό το εισιτήριο; *boró na sinechíso maftó to isitírio?*
How long is this ticket__ valid for?	Για πόσο καιρό ισχύει αυτό το εισιτήριο; *ya póso kyeró ischíi aftó to isitírio?*
Where can I...? _____	Πού μπορώ να... ; *poo boró na...?*
- buy a ticket? _____	Πού μπορώ να αγοράσω εισιτήριο; *poo boró na aghoráso isitírio?*
- make a reservation? __	Πού μπορώ να κλείσω θέση; *poo boró na klíso thési?*
- book a flight? _____	Πού μπορώ να κλείσω θέση στο αεροπλάνο; *poo boró na klíso thési sto aeropláno?*

Could I have a...to..., please?	Θέλω ένα...για... *thélo éna...ya...*
- a single _____	Θέλω ένα απλό εισιτήριο για... *thélo éna apló isitírio ya...*
- a return _____	Θέλω ένα μετ επιστροφής για... *thélo éna metepistrofís ya...*
first class _____	πρώτη θέση *próti thési*
second class _____	δεύτερη θέση *dhéfteri thési*
tourist class _____	τουριστική θέση *tooristikí thési*
business class _____	μπιζνεσκλάς *biznesklás*
I'd like to book a _____ seat/couchette/cabin	Θέλω να κλείσω θέση/κρεβάτι/καμπίνα *thélo na klíso thési/kreváti/kabína*
I'd like to book a berth _ in the sleeping car	Θέλω να κλείσω θέση στο βαγκον-λί *thélo na klíso thési sto vagonlí*
top/middle/bottom_____	πάνω/στη μέση/κάτω *páno/sti mési/káto*
smoking/no smoking_____	καπνίζοντες/μη καπνίζοντες *kapnízondes/mi kapnízondes*
by the window _____	στο παράθυρο *sto paráthiro*
single/double _____	για ένα άτομο/ για δύο άτομα *ya éna átomo/ya dhío átoma*
at the front/back_____	μπροστά/πίσω *brostá/píso*
There are...of us. _____	Είμαστε...άτομα *ímaste...átoma*
with a car_____	Μ' ένα αυτοκίνητο *ména avtokínito*
with a caravan _____	Μ' ένα τροχόσπιτο *ména trochóspito*
with ... bicycles_____	Με .. ποδήλατα *me...podhílata*

Do you also have...? ___ Μήπως έχετε και...;
mípos éhete ke...?

– season tickets? _____ Μήπως έχετε και κάρτα πολλαπλών
διαδρομών;
mípos éhete ke kárta polaplón dhiadhromón?

– weekly tickets? _____ Μήπως έχετε και κάρτα για μια
εβδομάδα;
mípos éhete ke kárta ya mya evdhomádha?

– monthly tickets? _____ Μήπως έχετε και κάρτα για ένα μήνα;
mípos éhete ke kárta ya éna mína?

6.4 Information

Where's...?_____ Πού είναι...;
poo íne...?

Where's the _____ Πού είναι το γραφείο πληροφοριών;
information desk? *poo íne to ghrafío pliroforyón?*

Where can I find a _____ Πού είναι ο πίνακας
timetable? αφίξεων/αναχωρήσεων;
poo íne o pínakas afíxeon/anachoríseon?

Where's the...desk? ____ Πού είναι η θυρίδα για...
poo íne i thirídha ya...?

Do you have a city ____ Μήπως έχετε ένα χάρτη της πόλης με
map with the bus/the το δίκτυο λεωφορείων/του μετρό;
underground routes on *mípos éhete éna chárti tis pólis me to*
it? *dhíktio leoforíon/too metró?*

Do you have a _____ Μήπως έχετε το ωράριο των
timetable? δρομολογίων;
mípos éhete to orário ton dhromoloyíon?

I'd like to confirm/ _____ Θέλω να επιβεβαιώσω/ακυρώσω/αλλάξω
cancel/change my την κράτησή μου/το ταξίδι μου σε...
booking for/trip to... *thélo na epiveveóso/akiróso/aláxo*
tingrátisímoo/to taxídhi moo se...

Will I get my money back?	Θα πάρω πίσω τα λεφτά μου; *tha páro píso ta leftá moo?*
I want to go to... What's the quickest way to get there?	Πρέπει να πάω σε ... Πώς πάω εκεί το γρηγορότερο; *prépi na páo se ... Pos páo ekí to ghrighoróţero?*
How much is a single/return to...?	Πόσο κάνει ένα απλό εισιτήριο/ένα μετ' επιστροφής; *póso káni éna apló isitírio/éna metepistrofís?*
Do I have to pay a supplement?	Πρέπει να πληρώσω συμπληρωματικό εισιτήριο; *prépi na pliróso simbliromatikó isitírio?*
Can I interrupt my journey with this ticket?	Μπορώ να διακόψω το ταξίδι μου μ' αυτό το εισιτήριο; *boró na dhiakópso to taxídhimoo maftó to isitírio?*
How much luggage am I allowed?	Πόσες αποσκευές μπορώ να πάρω μαζί μου; *póses aposkevés boró na páro mazímoo?*
Does this...travel direct?	Αυτό το...πηγαίνει κατ' ευθείαν; *afto to...piyéni katefthían?*
Do I have to change trains/buses/boats? Where?	Πρέπει ν' αλλάξω τρένο/λεωφορείο/πλοίο; Πού; *prépi naláxo tréno/leoforío/plío? Poo?*
Does the plane touch down anywhere en route?	Το αεροπλάνο κάνει ενδιάμεσες προσγειώσεις; *to aeropláno káni endhiámeses prosyiósis?*
Does the boat call in at any ports on the way?	Το πλοίο πιάνει σκάλα και σ' άλλα λιμάνια; *to plío pyáni skála ke sála limánya?*
Does the train/ bus stop at...?	Το τρένο/το λεωφορείο κάνει στάση σε...; *to tréno/to leoforío káni stási se...?*
Where should I get off?	Πού πρέπει να κατεβώ; *poo prépi na katevó?*

Is there a connection to...?	Υπάρχει ανταπόκριση για ... *ipárchi andapókrisi ya...*
How long do I have to wait?	Πόση ώρα πρέπει να περιμένω; *pósi óra prépi na periméno?*
When does...leave?	Πότε φεύγει...; *póte févyi...?*
What time does the first/last/next...leave?	Τί ώρα φεύγει το πρώτο/τελευταίο/επόμενο...; *ti óra févyi to próto/teleftéo/epómeno...?*
How long does...take?	Πόση ώρα κάνει το...; *pósi óra káni to...?*
What time does...arrive in...?	Τί ώρα φτάνει το...σε...; *ti óra ftáni to...se...?*
Where does the...to... leave from?	Από πού φεύγει το...για...; *apó poo févyi to...ya...?*
Is this...to...?	Αυτό είναι το...για...; *aftó íne to...ya...?Δ·ʰ!*

6.5 Aeroplanes

● **In addition to** scheduled flights from the UK to Athens and Thessaloniki there are a large number of charters to both cities and to Corfu, Kos, Crete and Rhodes. Athens has two airports, one for Olympic Airways and one for other airlines; the two airports are quite close to one another. They have two areas, *αφίξεις* (arrivals) and *αναχωρήσεις* (departures). At the check-in desk you will receive a *δελτίο επιβιβάσεως* (boarding card) and will be told which *έξοδος* (gate) you will be leaving from

In a Greek airport you will find the following signs:

αναχωρήσεις departures	εσωτερικές ανταποκρίσεις	πτήσεις εξωτερικού international flights
αφίξεις arrivals	internal/domestic connecting flights	πτήσεις εσωτερικού domestic flights

6.6 Trains

● **The rail network** in Greece is not very extensive, but rail travel is generally much cheaper than in the UK. The Greek State Railways company is responsible for the line from Thessaloniki to Athens. Much of the route is single track, and there are innumerable small stations. Another company runs the loop of track from Athens around the Peloponnese. You can travel first or second class, and students, children and groups of more than ten persons can obtain reductions.

It is advisable to book a seat at the time you purchase your ticket.

6.7 Taxis

● **There are plenty** of taxis in Greece and they are usually much cheaper than in the UK. In Athens and Thessaloniki taxis act rather like buses; they pick up and drop off passengers en route. Virtually all taxis have a meter, but it is often possible to agree a price for a longer journey in advance. A supplement is usual for luggage, a journey at night, on a Sunday or bank holiday, or to an airport.

ελεύθερο	κατειλημμένο	σταθμός ταξί
free	taken	taxi rank

Taxi! _____	ταξί
	taxí!
Could you get me a ___ taxi, please?	Μπορείτε να καλέσετε ένα ταξί για μένα;
	boríte na kalésete éna taxí ya ména?
Where can I find a taxi _ around here?	Πού μπορώ να βρω ένα ταξί εδώ κοντά;
	poo boró na vro éna taxí edhó kondá?
Could you take me ___ to..., please?	Με πηγαίνετε σε..., παρακαλώ;
	me piyénete se..., parakaló?

– this address _____	Με πηγαίνετε σ' αυτή τη διεύθυνση, παρακαλώ; *me piyénete saftí ti dhiéfthinsi, parakaló?*
– the...hotel _____	Με πηγαίνετε στο ξενοδοχείο..., παρακαλώ; *me piyénete sto xenodhohío..., parakaló?*
– the town/city centre __	Με πηγαίνετε στο κέντρο, παρακαλώ; *me piyénete sto kéndro, parakaló?*
– the station _____	Με πηγαίνετε στο σταθμό, παρακαλώ; *me piyénete sto stathmó, parakaló?*
– the airport_____	Με πηγαίνετε στο αεροδρόμιο, παρακαλώ; *me piyénete sto aerodhrómio, parakaló?*
How much is the _____ trip to...?	Πόσο κάνει η διαδρομή μέχρι...; *póso káni i dhiadromí méchri...?*
How far is it to...?_____	Πόσο μακριά είναι μέχρι... ; *póso makriá íne méchri...?*
Could you turn on the __ meter, please?	Μπορείτε να βάλετε το μετρητή, παρακαλώ; *boríte na válete to metrití, parakaló?*
I'm in a hurry_____	Βιάζομαι *vyázome*
Could you speed _____ up/slow down a little?	Μπορείτε να πηγαίνετε πιο γρήγορα/πιο αργά, παρακαλώ; *boríte na piyénete pyo ghríghora/pyo arghá, parakaló?*
Could you take a _____ different route?	Μπορείτε να πάρετε ένα άλλο δρόμο; *boríte na párete éna álo dhrómo?*
I'd like to get out here, _ please	Αφήστε με να κατεβώ εδώ, παρακαλώ *afíste me na katevó edhó, parakaló*
You have to go...here __	Εδώ πρέπει να πάτε... *edhó prépi na páte...*
You have to go straight_ on here	Εδώ πρέπει να πάτε ίσια *edhó prépi na páte ísya*
You have to turn left ___ here	Εδώ πρέπει να πάτε αριστερά *edhó prépi na páte aristerá*

You have to turn right __ Εδώ πρέπει να πάτε δεξιά
here *edhó prépi na páte dhexyá*

This is it _____ Εδώ είναι
edhó íne

Could you wait a _____ Μπορείτε να με περιμένετε ένα λεπτό;
minute for me, please? *boríte na me periménete éna leptó?*

7.1 General

● **Hotel accommodation:** hotels (ξενοδοχεία) are in different
categories: luxury class, A class, B class, C class, D class, and E class.
The classification is somewhat arbitrary, and it is always worth trying a
cheap hotel. An expensive hotel will not necessarily be more pleasant
or comfortable than a cheaper one. Most hotels serve breakfast.
Rooms in private houses or pensions are available and offer a cheap
and interesting form of accommodation. This is the best way to get to
know Greeks. The tourist police can supply you with a list of rooms
available in a particular place.
Motels are rare in Greece; they are only to be found near to motorways.
Youth Hostels exist in the cities; they are divided into male and female
sections.
Camping sites are regulated by the Greek National Tourist office (EOT).
They are divided into three price levels. There are many sites along the
coasts, but they are rarer inland. It is illegal to camp outside such sites.

Πόσο καιρό θέλετε να μείνετε;	How long will you be staying?
Μπορείτε να συμπληρώσετε αυτό το έντυπο, παρακαλώ	Fill out this form, please
Το διαβατήριό σας, παρακαλώ	Could I see your passport?
Πρέπει να πληρώσετε εγγύηση	I'll need a deposit
Πρέπει να προπληρώσετε	You'll have to pay in advance

My name's...I've made a reservation over the phone/by mail	Το όνομά μου είναι...Έκλεισα (τηλεφωνικώς/γραπτά) μια θέση _to ónomámoo íne ... éklisa (tilefonikós/ghraptá) mya thési_
How much is it per night/week/month?	Πόσο κάνει τη νύχτα/την εβδομάδα/το μήνα; _póso káni ti níchta/tin evdhomádha/to mína?_

We'll be staying at ____ least...nights/weeks	Θα μείνουμε τουλάχιστον... νύχτες/εβδομάδες *tha mínoome tooláchiston...níchtes/evdhomádhes*
We don't know yet ____	Δεν ξέρουμε ακόμα ακριβώς *dhen xéroome akóma akrivós*
Do you allow pets ____ (cats/dogs)?	Επιτρέπονται τα κατοικίδια ζώα; *epitréponde ta katikídhia zóa?*
What time does the ____ gate/door open/close?	Τι ώρα κλείνει/ανοίγει η εξώπορτα/η πόρτα; *ti óra klíni/aníyi i exóporta/i pórta?*
Could you get me a taxi, please? ____	Μου φωνάζετε ένα ταξί, παρακαλώ; *moo fonázete éna taxí, parakaló?*
Where's the manager? _	Πού είναι ο διαχειριστής; *poo íne o dhiahiristís?*

7.2 Camping

Διαλέξετε μόνος σας το μέρος	You can pick your own site
Εμείς θα σας δείξουμε ένα μέρος	You'll be allocated a site
Αυτός είναι ο αριθμός του μέρους σας	This is your site number
Να κολλήσετε αυτό στο αυτοκίνητό σας	Stick this on your car, please
Να μην χάσετε αυτή την κάρτα	Please don't lose this card

Are we allowed to ____ camp here?	Μπορούμε να κατασκηνώσουμε εδώ; *boróome na kataskinósoome edhó?*
There are...of us and ____ ...tents	Είμαστε...άτομα και...σκηνές *ímaste...átoma ke...skinés*

Can we pick our _____ own site?	Μπορούμε να διαλέξουμε μόνοι μας ένα μέρος; *boróome na dhialéxoome mónimas éna méros?*
Do you have a quiet ___ spot for us?	'Εχετε ένα ήσυχο μέρος για μας; *éhete éna ísicho méros ya mas?*
Do you have any other _ sites available?	Δεν έχετε ένα άλλο μέρος ελεύθερο; *dhen éhete éna álo méros eléfthero?*
It's too windy/sunny/ _____ shady here	'Εχει πολύ αέρα/ήλιο/ίσκιο εδώ *éhi polí aéra/ílyo/ískyo edhó*
It's too crowded here __	'Εχει πολλή κίνηση εδώ *éhi polí kínisi edhó*
The ground's too _____ hard/uneven	Το έδαφος είναι πολύ σκληρό/άνισο *to édhafos íne polí skliró/ániso*
Do you have a level ____ spot for the camper/caravan/ folding caravan?	'Εχετε ένα ίσιο μέρος για το κάμπερ μας/το τροχόσπιτο μας. το λυόμενο τροχόσπιτό μας; *éhete éna ísyo méros ya to kámpermas/to trochóspitómas /to liómeno trochóspitómas*
Could we have _____ adjoining pitches?	Μπορούμε να κατασκηνώσουμε δίπλα-δίπλα; *boróome na kataskinósoome dhípla-dhípla?*
Can we park the car ___ next to the tent?	Μπορώ να παρκάρω το αυτοκίνητο δίπλα στη σκηνή; *boró na parkáro to aftokínito dhípla sti skiní?*
How much is it per _____ person/tent/caravan/ car?	Πόσο κάνει το άτομο/για μία σκηνή/για ένα τροχόσπιτο/για ένα αυτοκίνητο; *póso káni to átomo/ya mía skiní/ya éna trochóspito/ya éna aftokínito?*
Are there any chalets __ to rent?	Νοικιάζονται καλύβες; *nikyázonde kalíves?*
Are there any...? _____	Υπάρχουν εδώ...; *ipárchoon edhó...?*

Camping equipment

luggage space	ο χώρος αποσκευών	o chóros aposkevón
can opener	το ανοιχτήρι	to anichtíri
butane gas bottle	η μποτίλια υγραερίου	i botílya ighraeríoo
pannier	η τσάντα του ποδηλάτου	i tsánda too podilátoo
gas cooker	η κουζίνα υγραερίου	i koozína ighraeríoo
groundsheet	το πάτωμα της σκηνής	to pátoma tis skinís
mallet	το σφυρί	to sfirí
hammock	η μπράντα	i bránda
jerry can	το μπιντόνι	to bidóni
campfire	η πυρά	i pirá
folding chair	η πτυσσόμενη καρέκλα	i ptisómeni karékla
insulated picnic box	η τσάντα-ψυγείο	i tsánda-psiyío
ice pack	ο ψυκτήρας	o psiktíras
compass	η πυξίδα	i pixídha
wick	το φυτίλι	to fitíli
corkscrew	το τιρμπουσόν	to tirboosón
airbed	το αερόστρωμα	to aeróstroma
airbed plug	το βούλωμα του αεροστρώματος	to vóoloma too aerostrómatos
pump	το ποδοκίνητο φυσερό	to podhokiníto fiseró

– any hot showers? _____	Υπάρχουν εδώ ντους με ζεστό νερό *ipárchoon edhó doos me zestó neró*
– washing machines? __	Υπάρχουν εδώ πλυντήρια; *ipárchoon edhó plindíria?*
Is there a...on the site? _	Υπάρχει σ' αυτό το χώρο...; *ipárchi saftó to chóro...?*

awning	το προστέγασμα της σκηνής	to prostéghazma tis skinís
karimat	το χαλάκι	to chaláki
pan	η κατσαρόλα	i katsaróla
pan handle	το χερούλι	to heróoli
primus stove	η γκαζιέρα	i gazyéra
zip	το φερμουάρ	to fermwár
backpack	το σακίδιο	to sakídhyo
guy rope	το σχοινί της σκηνής	to schiní tis skinís
sleeping bag	ο υπνόσακος	o ipnósekos
storm lantern	η λάμπα θύελλας	i lámpa thíelas
camp bed	το ράντζο	to rántso
table	το τραπέζι	to trapézi
tent	η σκηνή	i skiní
tent peg	το πασαλάκι της σκηνής	to pasaláki tis skinís
tent pole	ο ορθοστάτης της σκηνής	o orthostátis tis skinís
vacuum flask	το θερμός	to thermós
water bottle	το παγούρι	to paghóori
clothes peg	το μανταλάκι	to mandaláki
clothes line	το σχοινί της μπουγάδας	to schiní tis booghádhas
windbreak	ο ανεμοφράκτης	o anemofráktis
torch	ο φακός	o fakós
pocket knife	ο σουγιάς	o sooyás

Is there a children's ___ play area on the site?	Υπάρχει σ' αυτό το χώρο μια παιδική χαρά;
	ipárchei saftó to chóro mya pedhikí chará?
Are there covered___ cooking facilities on the site?	Υπάρχει σκεπαστός χώρος για μαγείρευμα;
	ipárchi skepastós chóros ya mayírevma?

| Can I rent a safe here? | Μπορώ να νοικιάσω ένα χρηματοκιβώτιο;
| | *boró na nikyáso éna chrimatokivótyo?*
| Are we allowed to barbecue here? | Επιτρέπεται εδώ το μπάρμπεκιου;
| | *epitrépete edhó to barbekyóo?*
| Are there any power points? | Υπάρχουν ηλεκτρικές συνδέσεις;
| | *ipárchoon ilektrikés sindhésis?*
| Is there drinking water? | Υπάρχει πόσιμο νερό;
| | *ipárchi pósimo neró?*
| When's the rubbish collected? | Πότε μαζεύουν τα σκουπίδια;
| | *póte mazévoon ta skoopídhya?*
| Do you sell gas bottles (butane gas/propane gas)? | Πουλάτε φιάλες υγραερίου (πετρογκάζ);
| | *pooláte fyáles ighraeríoo (petrogáz)?*

7.3 Hotel/B&B/apartment/holiday house

| Do you have a single/double room available? | Έχετε ένα ελεύθερο μονό/διπλό δωμάτιο;
| | *éhete éna eléfthero monó/dhipló dhomátyo?*
| per person/per room | το άτομο/το δωμάτιο
| | *to átomo/to dhomátyo*
| Does that include breakfast/lunch/ dinner? | Με το πρωινό/το μεσημεριανό/το βραδινό;
| | *me to proinó/to mesimeryanó/to vradhinó?*
| Could we have two adjoining rooms? | Μπορούμε να έχουμε δύο δωμάτια δίπλα-δίπλα;
| | *boróome na échoome dhío dhomátya dhípla-dhípla?*
| with/without toilet/bath/shower | με/χωρίς τουαλέτα/μπάνιο/ντους
| | *me/chorís twaléta/bányo/doos*
| (not) facing the street | (όχι) από την μεριά του δρόμου
| | *(óhi) apó ti meryá too dhrómoo*

Η τουαλέτα και το ντους είναι στον ίδιο όροφο/στο δωμάτιό σας	You can find the toilet and shower on the same floor/en suite
Από δω, παρακαλώ	This way, please
Το δωμάτιό σας είναι στο...όροφο, ο αριθμός είναι...	Your room is on the...floor, number...

with/without a view of the sea	με/χωρίς θέα προς τη θάλασσα *me/chorís théa pros ti thálasa*
Is there...in the hotel?	Το ξενοδοχείο έχει...; *to xenodhohío éhi...?*
Is there a lift in the hotel?	Το ξενοδοχείο έχει ασανσέρ; *to xenodhohío éhi asansér?*
Do you have room service?	Το ξενοδοχείο έχει εξυπηρέτηση δωματίου/ρουμ σέρβις; *to xenodhohío éhi exipirétisi dhomatíoo/room sérvis*
Could I see the room?	Μπορώ να δω το δωμάτιο; *boró na dho to dhomátyo?*
I'll take this room	Θα πάρω αυτό το δωμάτιο *tha páro aftó to dhomátyo*
We don't like this one	Αυτό το δωμάτιο δε μας αρέσει *aftó to dhomátyo dhe mas arési*
Do you have a larger/ less expensive room?	Έχετε ένα μεγαλύτερο/πιο φτηνό δωμάτιο; *éhete éna meghalítero/pyo ftinó dhomátyo?*
Could you put in a cot?	Μπορείτε να βάλετε κι ένα παιδικό κρεβάτι στο δωμάτιό μας; *boríte na válete kyéna pedhikó kreváti sto dhomátiómas?*
What time's breakfast?	Τι ώρα είναι το πρωινό; *ti óra íne to proinó?*

Where's the dining ____ room?	Πού είναι η τραπεζαρία;
	poo íne i trapezaría?
Can I have breakfast ___ in my room?	Μπορώ να έχω το πρωινό στο δωμάτιό μου;
	boró na écho to proinó sto dhomátió moo?
Where's the _____ emergency exit/fire escape?	Πού είναι η έξοδος κινδύνου ή η σκάλα πυρκαγιάς;
	poo íne i éxodhos kindhínoo/i skála pirkayás?
Where can I park my ____ car (safely)?	Υπάρχει ένα (ασφαλές) μέρος όπου μπορώ να παρκάρω το αυτοκίνητό μου;
	ipárchi éna (asfalés) méros ópoo boró na parkáro to aftokínitómoo?
The key to room..., _____ please	Το κλειδί του δωματίου..., παρακαλώ
	to klidhí too dhomatíoo..., parakaló
Could you put this in ___ the safe, please?	Μπορώ να αφήσω αυτό στο χρηματοκιβώτιό σας;
	boró nafíso aftó sto chrimatokivótiósas?
Could you wake me_____ at...tomorrow?	Μπορείτε να με ξυπνήσετε αύριο στις...;
	boríte na me xipnísete ávrio stis ...?
Could you find a_____ babysitter for me?	Μπορείτε να μου βρείτε μια μπέιμπυ σίτερ;
	boríte na moo vríte mya béibi-síter?
Could I have an extra __ blanket?	Μπορώ να έχω κι άλλη μια κουβέρτα;
	boró na écho kyáli mía koovérta?
What days do the_____ cleaners come in?	Ποιές μέρες καθαρίζουν τα δωμάτια;
	pyes méres katharízoon ta dhomátya?
When are the sheets/ __ towels/tea towels changed?	Πότε αλλάζουν τα σεντόνια/τις πετσέτες/τις πετσέτες για τα πιάτα;
	póte alázoon ta sendónya/tis petsétes/tis petsétes ya ta pyáta?

7.4 Complaints

We can't sleep for ____ the noise	Δεν μπορούμε να κοιμηθούμε μ' αυτό το θόρυβο *dhemboróome na kimithóome maftó to thórivo*
Could you turn the____ radio down, please?	Μπορείτε να χαμηλώσετε λίγο το ραδιόφωνο; *boríte na chamilósete lígho to radhiófono?*
We're out of toilet paper	Τελείωσε το χαρτί υγείας *telíose to chartí iyías*
There aren't _____ any.../there's not enough...	Δεν έχει/δεν έχει αρκετά... *dhen éhi/dhen éhi arketá...*
The bed linen's dirty ___	Τα κλινοσκεπάσματα είναι βρώμικα *ta klinoskepázmata íne vrómika*
The room hasn't been___ cleaned	Δεν καθάρισαν το δωμάτιο *dhen kathárisan to dhomátyo*
The kitchen is not _____ clean	Η κουζίνα δεν είναι καθαρή *i koozína dhen íne katharí*
The kitchen utensils ___ are dirty	Τα κουζινικά είναι βρώμικα *ta kooziniká íne vrómika*
The heater's not _____ working	Το καλοριφέρ δε λειτουργεί *to kalorifér dhe litooryí*
There's no (hot)_____ water/electricity	Δεν έχει (ζεστό) νερό/ρεύμα *dhen éhi (zestó) neró/révma*
...is broken_____	...χάλασε *...chálase*
Could you have that ___ seen to?	Μπορείτε να το διορθώσετε; *boríte na to dhiorthósete?*
Could I have another___ room?	Μπορείτε να μου δώσετε ένα άλλο δωμάτιο *boríte na moo dhósete éna álo dhomátyo*
The bed creaks terribly _	Το κρεβάτι τρίζει φοβερά *to kreváti trízi foverá*

The bed sags terribly___	Το κρεβάτι βουλιάζει φοβερά
	to kreváti voolyázi foverá
There's a lot of noise___	Έχει πάρα πολύ θόρυβο
	éhi pára polí thórivo
There are bugs/insects _ in our room	Έχουμε πολλά ζωύφια/έντομα
	échoome polá zoífya/éndoma
This place is full _____ of mosquitos	Είναι γεμάτο κουνούπια εδώ
	íne yemáto koonóopya edhó
– cockroaches _____	Είναι γεμάτο κατσαρίδες εδώ
	íne yemáto katsarídhes edhó

7.5 Departure

See also 8.2 Settling the bill

I'm leaving tomorrow. __ Could I settle my bill, please?	Αύριο φεύγω. Μπορώ να πληρώσω τώρα;
	ávrio févgho. boró na pliróso tóra?
What time should we___ vacate?	Τι ώρα πρέπει να φύγουμε από...;
	ti óra prépi na fíghoome apó...?
Could I have my _____ deposit/passport back, please?	Μου δίνετε πίσω την εγγύηση/το διαβατήριό μου;
	moo dhínete píso tin engíisi/to dhiavatíriómoo?
We're in a terrible hurry_	Βιαζόμαστε πολύ
	vyazómaste polí
Could you forward _____ my mail to this address?	Μπορείτε να στείλετε τα γράμματά μου σ' αυτή τη διεύθυνση;
	boríte na stílete ta ghrámatámoo saftí ti dhiéfthinsi?
Could we leave our ____ luggage here until we leave?	Μπορούμε να αφήσουμε τις βαλίτσες μας εδώ μέχρι να φύγουμε;
	boróome nafísoome tis valítses mas edhó méchri na fíghoome?
Thanks for your _____ hospitality	Ευχαριστώ για τη φιλοξενία σας
	efcharistó ya ti filoxeníasas

Money matters

● **In general**, banks are open 8am–2pm and are closed Saturday. Exchange bureaux are open until 10pm. Money and traveller's cheques can be changed in most large hotels. In the islands the post offices change currency. To exchange currency a proof of identity is required. ΣΥΝΑΛΛΑΓΜΑ indicates that money can be exchanged.

8.1 Banks

Where can I find a _____ bank/an exchange office around here?	Υπάρχει εδώ κοντά καμιά τράπεζα/ κανένα γραφείο συναλλάγματος; *ipárchi edhó kondá kamyá trápeza/kanéna ghrafío sinalághmatos?*
Where can I cash this __ traveller's cheque/giro cheque?	Πού μπορώ να εξαργυρώσω αυτή την ταξιδιωτική επιταγή/ταχυδρομική επιταγή; *poo boró na exaryiróso aftí tin taxidhiotikí epitayí/ tachidhromikí epitayí?*
Can I cash this...here? _	Μπορώ εδώ να εξαργυρώσω αυτό το...; *boró edhó na exaryiróso aftó to...?*
Can I withdraw money _ on my credit card here?	Μπορώ να πάρω λεφτά εδώ με μια πιστωτική κάρτα; *boró na páro leftá edhó me mya pistotikí kárta?*
What's the minimum/ __ maximum amount?	Ποιό είναι το ελάχιστο ποσό/το ανώτατο ποσό; *pyo íne to eláchisto posó/to anótato posó?*
Can I take out less_____ than that?	Μπορώ να πάρω και μικρότερο ποσό; *boró na páro ke mikrótero posó?*
I've had some money __ transferred here. Has it arrived yet?	Έκανα ένα τηλεγραφικό έμβασμα. Έφτασε το έμβασμα; *ékana éna tileghrafikó émvazma. éftase to émvazma?*
These are the details___ of my bank in the UK	Αυτά είναι τα στοιχεία της τράπεζάς μου στο Ηνωμένο Βασίλειο *aftá íne ta stihía tis trápezásmoo sto Inoméno Vasílio*

Υπογράψτε εδώ	Sign here, please.
Συμπληρώστε αυτό το χαρτί	Fill this out, please.
Μπορώ να δω το διαβατήριό σας;	Could I see your passport, please?
Μπορώ να δω την ταυτότητά σας;	Could I see some identification, please?
Μπορώ να δω την ταχυδρομική σας κάρτα;	Could I see your girobank card, please?
Μπορώ να δω την τραπεζική σας κάρτα;	Could I see your bank card, please?

This is my bank/giro ___ number	Αυτός είναι ο αριθμός λογαριασμού μου
	aftós íne o arithmós loghariazmóomoo
I'd like to change _____ some money	Θα ήθελα ν' αλλάξω χρήματα
	tha íthela naláxo chrímata
– pounds into..._____	λίρες στερλίνες για...
	líres sterlínes ya...
– dollars into... _____	δολλάρια για... *dholária ya...*
What's the exchange____ rate?	Ποιά είναι η ισοτιμία;
	pya íne i isotimía?
Could you give me_____ some small change with it?	Μπορείτε να μου δώσετε και λίγα ψιλά, παρακαλώ
	boríte na moo dhósete ke lígha psilá, parakaló
This is not right_____	Αυτό είναι λάθος
	avtó íne láthos

8.2 Settling the bill

| Could you put it on ____ my bill? | Μπορείτε να το γράψετε στο λογαριασμό μου; |
| | *boríte na to ghrápsete sto loghariazmómoo?* |

Does this amount include service?	(Στο ποσό αυτό) συμπεριλαμβάνεται η εξυπηρέτηση;
	(sto posó aftó) simberilamvánete i exipirétisi?
Can I pay by...?	Μπορώ να πληρώσω με...;
	boró na pliróso me...?
Can I pay by credit card?	Μπορώ να πληρώσω με πιστωτική κάρτα;
	boró na pliróso me pistotikí kárta?
Can I pay by traveller's cheque?	Μπορώ να πληρώσω με ταξιδιωτική επιταγή;
	boró na pliróso me taxidhyotikí epitayí?
Can I pay with foreign currency?	Μπορώ να πληρώσω με ξένο συνάλλαγμα;
	boró na pliróso me xéno sinálaghma?
You've given me too much/you haven't given me enough change	Μου δώσατε πίσω πάρα πολλά/πολύ λίγα
	moo dhósate píso pára polá/polí lígha
Could you check this again, please?	Μπορείτε να το ξαναελέγξετε, παρακαλώ;
	boríte na to xanaelénxete, parakaló?
Could I have a receipt, please?	Μπορώ να έχω μια απόδειξη/το λογαριασμό;
	boró na écho mya apódhixi/to loghariazmó?
I don't have enough money on me	Δεν έχω αρκετά χρήματα επάνω μου
	dhen écho arketá chrímata epánomoo
This is for you	ορίστε, αυτό είναι για σας
	oríste, aftó íne ya sas
Keep the change	Κρατήστε τα ρέστα
	kratíste ta résta

| Δε δεχόμαστε πιστωτικές κάρτες/ταξιδιωτικές επιταγές/ξένο συνάλλαγμα | We don't accept credit cards/traveller's cheques/foreign currency |

9.1 Post

For giros, see 8 Money matters

● **In large towns** post offices are open from Monday to Friday between 7.30am and 8pm; in many such towns they are also open on Saturdays. In smaller towns the opening times are variable. Greek post-offices can be recognised by the sign *ΕΛΤΑ*. Giro cards can be used there.

Stamps (*γραμματόσημα*) are also available in kiosks (*περίπτερα*) and in tourist areas they are often also sold in small souvenir and postcard shops.

γραμματόσημα *stamps* δέματα *parcels*	ταχυδρομικές επιταγές *money orders*	τηλεγραφήματα *telegrams*

Where's...?	Πού είναι...; *poo íne...?*
Where's the post office?	Υπάρχει εδώ κοντά κανένα ταχυδρομείο; *ipárchi edhó kondá kanéna tahidhromío?*
Where's the main post office?	Πού είναι το κεντρικό ταχυδρομείο; *poo íne to kendtrikó tahidhromío?*
Where's the postbox?	Υπάρχει εδώ κοντά ένα γραμματοκιβώτιο; *ipárchi edhó kondá éna ghramatokivótyo?*
Which counter should I go to...?	Σε ποιά θυρίδα πρέπει να πάω για...; *se pya thirídha prépi na páo ya...?*
– to send a fax	Σε ποιά θυρίδα πρέπει να πάω για να στείλω ένα φαξ; *se pya thirídha prépi na páo ya na stílo éna fax?*

– to change money _____ Σε ποιά θυρίδα πρέπει να πάω για να
αλλάξω χρήματα;
*se pya thirídha prépi na páo ya naláxo
chrímata?*

– to change giro _____ Σε ποιά θυρίδα πρέπει να πάω για να
cheques εξαργυρώσω τα ταχυδρομικά τσεκ;
*se pya thirídha prépi na páo ya na
exaryiróso ta tahidhromiká tsek?*

– for a Telegraph _____ Σε ποιά θυρίδα πρέπει να πάω για
Money Order? τηλεγραφικό έμβασμα;
*se pya thirídha prépi na páo ya tileghrafikó
émvazma?*

Poste restante _____ Ποστ-ρεστάντ
post-restánt

Is there any mail for ___ Έχετε γράμματα για μένα; Το όνομά
me? My name's... μου είναι...
*éhete ghrámata ya ména? to ónomámoo
íne...*

Stamps

What's the postage _____ Τί γραμματόσημα χρειάζομαι για...;
for a...to...? *ti ghramatósima chriázome ya...?*
Are there enough _____ Φτάνουν αυτά τα γραμματόσημα;
stamps on it? *ftánoon aftá ta ghramatósima*
I'd like to send this... ___ Θέλω να το στείλω αυτό ...
thélo na to stílo aftó...

– express_____ Θέλω να το στείλω αυτό επείγον
thélo na to stílo aftó epíghon
– by air mail_____ Θέλω να το στείλω αυτό αεροπορικώς
thélo na to stílo aftó aeroporikós
– by registered mail ____ Θέλω να το στείλω αυτό συστημένο
thélo na to stílo aftó sistiméno

Telegram / fax

I'd like to send a_____ telegram to...	Θα ήθελα να στείλω ένα τηλεγράφημα σε... *tha íthela na stílo éna tileghráfima se...*
How much is that_____ per word?	Πόσο κάνει η λέξη; *póso káni i léxi?*
This is the text I want __ to send	Αυτό είναι το κείμενο που θέλω να στείλω *aftó íne to kímeno poo thélo na stílo*
Shall I fill out the form __ myself?	Να συμπληρώσω μόνος/μόνη μου το έντυπο; *na simpliróso mónos/móni moo to éndipo?*
Can I make _____ photocopies/ send a fax here?	Μπορώ να κάνω φωτοτυπίες/να στείλω ένα φαξ; *boró edhó na káno fototipíes/na stílo éna fax?*
How much is it _____ per page?	Πόσο κάνει η σελίδα; *póso káni i selídha?*

9.2 Telephone

See also 1.8 Telephone alphabet

● **In Greece** you cannot make phone calls from an ordinary post office. The special telephone offices are marked OTE. Here you make the call and then pay. In tourist resorts there are also usually a number of public phone boxes (for which a phone card is advisable) from which you can make international calls, and local calls can be made from kiosks.

When phoning someone in Greece, you will not be greeted with the subscriber's name or number, but simply with *εμπρός* or *ορίστε*.

Is there a phone box around here?	Υπάρχει εδώ κοντά κανένας τηλεφωνικός θάλαμος;
	ipárchi edhó kondá kanénas tilefonikós thálamos?
Could I use your phone, please?	Μπορώ να χρησιμοποιήσω το τηλέφωνό σας;
	boró na chrisimopiíso to tiléfonósas?
Do you have a (city/region)...phone directory?	Εχετε ένα τηλεφωνικό κατάλογο της πόλης.../της περιοχής...;
	éhete éna tilefonikó katálogho tis pólis/tis periohís...?
Could you give me...?	Μπορείτε να μου δώσετε...;
	boríte na moo dhósete...?
- the number for international directory enquiries	Μπορείτε να μου δώσετε τον αριθμό για τις πληροφορίες εξωτερικού;
	boríte na moo dhósete ton airithmó ya tis pliroforíes exoterikóo?
- the number of room...	Μπορείτε να μου δώσετε τον αριθμό του δωματίου;
	boríte na moo dhósete ton arithmó too dhomatíoo...?
- the international access code	Μπορείτε να μου δώσετε το διεθνή κωδικό της/του/των...;
	boríte na moo dhósete to dhiethní kódhiko tis/too/ton...?

– the country code for...	Μπορείτε να μου δώσετε τον κωδικό της...; *boríte na moo dhósete tongódhiko tis...?*
– the trunk code for...	Μπορείτε να μου δώσετε τον κωδικό της πόλης...; *boríte na moo dhósete tongódhiko tis pólis...?*
– the number of...	Μπορείτε να μου δώσετε τον αριθμό τηλεφώνου του/της...; *boríte na moo dhósete ton arithmó tilefónoo too/tis...?*
Could you check if this number's correct?	Μπορείτε να ελέγξετε αν είναι σωστός αυτός ο αριθμός; *boríte na elénxete an íne sostós o arithmós?*
Can I dial international direct?	Μπορώ να τηλεφωνήσω αυτόματα στο εξωτερικό; *boró na tilefoníso aftómata sto exoterikó?*
Do I have to go through the switchboard?	Πρέπει να τηλεφωνήσω μέσω της τηλεφωνήτριας; *prépi na tilefoníso méso tis tilefonítrias?*
Do I have to dial '0' first?	Πρέπει να πάρω πρώτα το μηδέν; *prépi na páro próta to midhén?*
Do I have to book my calls?	Πρέπει να ζητήσω μια συνδιάλεξη; *prépi na zitíso mya sindhiálexi?*
Could you dial this number for me, please?	Μπορείτε να μου πάρετε τον εξής αριθμό, παρακαλώ; *boríte na moo párete ton exís arithmó, parakaló?*
Could you put me through to.../extension..., please?	Μπορείτε να με συνδέσετε με.../με το εσωτερικό τηλέφωνο...; *boríte na me sindhésete me.../me to esoterikó tiléfono...?*
I'd like to place a reverse-charge call to...	Θέλω να τηλεφωνήσω με έξοδα του δέκτη... *thélo na tilefoníso me éxodha too dhékti...*

Σας ζητούν στο τηλέφωνο	There's a phone call for you
Πρέπει να πάρετε πρώτα το μηδέν	You have to dial '0' first
'Ενα λεπτό, παρακαλώ	One moment, please
Δεν απαντά	There's no answer
Η γραμμή είναι κατειλημμένη	The line's engaged
Περιμένετε λιγάκι;	Do you want to hold?
Σας συνδέω τώρα	Putting you through
Πήρατε λάθος αριθμό	You've got a wrong number
Αυτή τη στιγμή λείπει ο/η...	He's/she's not here right now
Μπορείτε να του τηλεφωνήσετε...	He'll/she'll be back...
Αυτός είναι ο αυτόματος τηλεφωνητής του/της...	This is the answering machine of...

What's the charge per minute?	Πόσο κάνει το λεπτό; *póso káni to leptó?*
Have there been any calls for me?	Μου τηλεφώνησε κανείς; *moo tilefónise kanís?*

The conversation

Who is this, please?	Ποιός είναι; *pyos íne?*
Hello, this is...	Γειά σας, είμαι ο/η... *Yásas, íme o/i...*
Is this...?	Εσείς είστε ο/η...; *esís íste o/i ...?*
I'm sorry, I've dialled the wrong number	Συγγνώμη, πήρα λάθος αριθμό *sighnómi, píra láthos arithmó*
I can't hear you	Δε σας ακούω καλά *dhe sas akóo-o kalá*
I'd like to speak to...	Θα ήθελα να μιλήσω με το (ν)/τη (ν)... *tha íthela na milíso me to (n)/ti (n)...*

Is there anybody who speaks English?	Ξέρει κανείς αγγλικά; *xéri kanís angliká?*
Extension..., please ___	Μπορείτε να με συνδέσετε με το εσωτερικό τηλέφωνο...; *boríte na me sindhésete me to esoterikó tiléfono...?*
Could you ask him/her to call me back?	Του/της λέτε να με πάρει τηλέφωνο; *too/tis léte na me pári tiléfono?*
My name's... My number's...	Το όνομα μου είναι...Ο αριθμός τηλεφώνου είναι... *to ónomámoo íne...o arithmós tilefónoo íne...*
Could you tell him/her I called?	Θέλετε να πείτε ότι τηλεφώνησα; *thélete na píte óti tilefónisa?*
I'll call back tomorrow	Θα του/της ξανατηλεφωνήσω αύριο *tha too/tis xanatilefoníso ávrio*

● **Opening times:** in general shops are open on Mondays, Wednesdays and Saturdays from 8am until 2.30pm and on Tuesdays, Thursdays and Fridays from 8am to 1pm and from 5pm to 8pm. In tourist areas in the summer, however, most shops open every evening and stay open until late. In the big cities opening hours vary, and many shops remain open throughout the day.

10.1 Shopping conversations

Where can I get...?	Σε ποιό κατάστημα μπορώ να βρω...;
	se pyo katástima boró na vro...?
When does this shop open?	Τί ώρα ανοίγει αυτό το μαγαζί;
	ti óra aníyi aftó to maghazí?
Could you tell me where the...department is?	Μπορείτε να μου πείτε πού είναι το τμήμα...;
	boríte na moo píte poo íne to tmíma...?
Could you help me, please? I'm looking for...	Μπορείτε να με βοηθήσετε; Ψάχνω...
	boríte na me voithísete? Psáchno...
Do you sell English/ American newspapers?	Πουλάτε αγγλικές/αμερικανικές εφημερίδες;
	pooláte anglikés/amerikanikés efimerídhes?
No, I'd like...	'Οχι. Θα ήθελα...
	óhi. tha íthela...
I'm just looking, if that's all right	Θα ρίξω μια ματιά, αν επιτρέπεται
	tha ríxo mya matyá, an epitrépete
Yes, I'd also like...	Ναι, θέλω και...
	ne, thélo ke...
No, thank you. That's all	'Οχι, ευχαριστώ. Τίποτ' άλλο
	óhi, efcharistó. típotálo

Σας εξυπηρετεί κανείς;	Are you being served?

αγορά
market

ανθοπωλείο
florist's

αρτοπωλείο
(φούρνος)
bakery

βιβλιοπωλείο
bookshop

γαλακτοπωλείο
dairy product shop

γουναράδικο
furrier's

ζαχαροπλαστείο
confectioner's (also
acts as a café for its
products)

ινστιτούτο
καλλονής
beauty salon

ιχθυοπωλείο
(ψαράδικο)
fishmonger's

καθαριστήριο
cleaner's

καπελάδικο
hat shop

καπνοπωλείο
tobacconist's

κατάστημα
αθλητικών
ειδών
sports shop

κατάστημα
παιχνιδιών
toy shop

κατάστημα
σουβενίρ
souvenir shop

κοινόχρηστο
πλυντήριο
laundrette

κομμωτήριο
ladies' hairdresser's

κοσμηματοπωλείο
jeweller's

κουρείο
barber's shop

κρεοπωλείο
butcher's shop

μανάβικο
greengrocer's

μοδίστρια
dressmaker's

οπτικός
optician's

παλαιοπωλείο
antique shop

παντοπωλείο
general store

περίπτερο
kiosk

πλυντήριο
laundry

πολυκατάστημα
department
store

πρακτορείο
ταξιδιών
travel agency

ραφείο
tailor's

σούπερ-μάρκετ
supermarket

στεγνοκαθαριστήριο
dry cleaner's

τσαγκάρης
cobbler's

υποδηματοπωλείο
(παπουτσάδικο)
shoe shop

φαρμακείο
chemist's

φωτογραφείο
photographer's/
camera shop

χαρτοπωλείο
stationer's

ψιλικατζίδικο
haberdasher's

| Τίποτ' άλλο; | Anything else? |

Could you show me...?	Μπορείτε να μου δείξετε... *boríte na moo dhíxete*
I'd prefer...	Προτιμώ... *protimó...*
This is not what I'm looking for	Δεν είναι αυτό που ψάχνω *dhen íne aftó poo psáchno*
Thank you. I'll keep looking	Ευχαριστώ. Θα κοιτάξω και αλλού *efcharistó. tha kitáxo ke alóo*
Do you have something...?	Μήπως έχετε κάτι που είναι... *mípos éhete káti poo íne...*
– less expensive?	Μήπως έχετε κάτι πιο φτηνό; *mípos éhete káti pyo ftinó?*
– something smaller?	Μήπως έχετε κάτι πιο μικρό; *mípos éhete káti pyo mikró?*
– something larger?	Μήπως έχετε κάτι πιο μεγάλο; *mípos éhete káti pyo meghálo?*

Λυπάμαι, δεν το έχουμε	I'm sorry, we don't have that
Λυπάμαι, μας έχει εξαντληθεί	I'm sorry, we're sold out
Λυπάμαι, θα το έχουμε πάλι...	I'm sorry, that won't be in until...
Μπορείτε να πληρώσετε στο ταμείο	You can pay at the cash desk
Δε δεχόμαστε πιστωτικές κάρτες	We don't accept credit cards
Δε δεχόμαστε ταξιδιωτικές επιταγές	We don't accept traveller's cheques
Δε δεχόμαστε ξένο συνάλλαγμα	We don't accept foreign currency

I'll take this one _____	Θα πάρω αυτό
	tha páro avtó
Does it come with _____ instructions?	Έχει οδηγίες χρήσεως μέσα;
	éhi odhiyíes chríseos mésa?
It's too expensive_____	Είναι πολύ ακριβό
	íne polí akrivó
I'll give you..._____	Θα σας δώσω...
	tha sas dhóso...
Could you keep this _____ for me? I'll come back for it later	Μπορείτε να φυλάξετε αυτό για μένα; Θα περάσω σε λίγο να το πάρω
	boríte na filáxete aftó ya ména? tha peráso se lígho na to páro
Have you got a bag_____ for me, please?	Μου δίνετε μία σακούλα, παρακαλώ;
	moo dhínete mya sakóola, parakaló?
Could you giftwrap _____ it, please?	Μπορείτε να το τυλίξετε για δώρο, παρακαλώ;
	boríte na to tilíxete ya dhóro, parakaló?

10.2 Food

I'd like a hundred _____ grams of..., please	Θα ήθελα εκατό γραμμάρια ...
	ha íthela ekató ghramárya...
– half a kilo of... _____	Θα ήθελα μισό κιλό...
	tha íthela misó kiló...
– a kilo of... _____	Θα ήθελα ένα κιλό
	tha íthela éna kiló...
Could you...it for me,_____ please?	Μπορείτε να μου το...:
	boríte na moo to...
Could you slice it/ _____ dice it for me, please?	Μπορείτε να μου το κόψετε σε φέτες/σε κομμάτια;
	boríte na moo to kópsete se fétes/se komátya?
Could you grate it _____ for me, please?	Μπορείτε να μου το τρίψετε;
	boríte na moo to trípsete?
Can I order it?_____	Μπορώ να το παραγγείλω;
	boró na to paranghílo?

I'll pick it up tomorrow/ at...	Θα περάσω αύριο/στις...να το πάρω
	tha peráso ávrio/stís...na to páro
Can you eat/drink this?	Αυτό τρώγεται/πίνεται;
	aftó tróyete/pínete?
What's in it?	Τί έχει μέσα;
	ti éhi mésa?

10.3 Clothing and shoes

I saw something in the window. Shall I point it out?	Είδα κάτι στη βιτρίνα. Να σας το δείξω;
	ídha káti sti vitrína. na sas to dhíxo?
I'd like something to go with this	Θέλω κάτι που να ταιριάζει μ' αυτό
	thélo káti poo na teryázi maftó
Do you have shoes to match this?	Έχετε ασσορτί παπούτσια;
	éhete asortí papóotsya?
I'm a size...in the UK	Στο Ηνωμένο Βασίλειο φοράω νούμερο...
	sto inoméno vasilío foráo nóomero...
Can I try this on?	Μπορώ να το δοκιμάσω;
	boró na to dhokimáso?
Where's the fitting room?	Πού είναι το δοκιμαστήριο;
	poo íne to dhokimastírio
It doesn't fit	Δε μου κάνει
	dhe moo káni
This is the right size	Αυτό είναι το σωστό νούμερο
	aftó íne to sostó nóomero
It doesn't suit me	Δε μου πάει
	dhe moo pái
Do you have this/ these in...?	Το έχετε και σε...;
	to éhete ke se...?
The heel's too high/low	Το τακούνι είναι πολύ ψηλό/χαμηλό
	to takóoni íne polí psiló/chamiló
Is this/are these genuine leather?	Είναι αυτό/αυτά από γνήσιο δέρμα;
	íne aftó/aftá apó ghnísyo dhérma?

I'm looking for a... _____ for a...-year-old baby/child	Ψάχνω ένα...για ένα μωρό/παιδί...χρονών *psáchno éna...ya éna moró/pedhí...chronón*
I'd like a...(made of)... _	Θα ήθελα ένα...από... *tha íthela éna...apó...*
– silk _____	Θα ήθελα ένα...από μετάξι *tha íthela éna...apó metáxi*
– cotton _____	Θα ήθελα ένα...από βαμβάκι *tha íthela éna...apó vamváki*
– woollen _____	Θα ήθελα ένα...από μαλλί *tha íthela éna...apó malí*
– linen_____	Θα ήθελα ένα...από λινό *tha íthela éna...apó linó*
What temperature _____ can I wash it at?	Σε ποιά θερμοκρασία μπορώ να το πλύνω; *se pya thermokrasía boró na to plíno?*
Will it shrink in the _____ wash?	Δε μαζεύει; *dhe mazévi?*

Καθαριστήριο dry clean	Μη σιδερώνετε do not iron	Στο πλυντήριο machine wash
Κρεμάστε το υγρό do no spin dry	Μην το στεγνώνετε στο στεγνωτήριο do not tumble dry	
Με το χέρι by hand		

At the cobbler's

Could you mend_____ these shoes?	Μπορείτε να φτιάξετε αυτά τα παπούτσια; *boríte na ftyáxete aftá ta papóotsya?*
Could you put new ____ soles/heels on these?	Μπορείτε να βάλετε καινούριες σόλες/καινούρια τακούνια σ' αυτά; *boríte na válete kenóoryes sóles/kenóorya takóonya saftá?*

When will they be_____ ready?	πότε θα είναι έτοιμα; *póte tha íne étima?*
I'd like... _____	Θα ήθελα... *tha íthela...*
– a tin of shoe polish ___	Θα ήθελα ένα κουτάκι βερνίκι παπούτσιών *tha íthela éna kootáki verníki papootsyón*
– a pair of shoelaces ___	Θα ήθελα ένα ζευγάρι κορδόνια *tha íthela éna zevghári kordhónya*

10.4 Photographs and video

I'd like a film for this ___ camera, please	Θα ήθελα ένα φιλμ για αυτή τη μηχανή *ha íthela éna film ya avtí ti mihaní*
– a one twenty-six _____ cartridge	Θα ήθελα μια κασέτα των 126 *tha íthela mya kaséta ton ekató íkosi éxl*
– a slide film _____	Θα ήθελα ένα φιλμ για σλάιτς *tha íthela éna film ya slaidz*
– a film cartridge _____	Θα ήθελα μια κασέτα φιλμ *tha íthela mya kaséta film*
– a videotape _____	Θα ήθελα μια βιντεοταινία *tha íthela mya videotenía*
colour/black and white _	έγχρωμο/ασπρόμαυρο *énchromo/asprómavro*
super eight _____	σούπερ οχτώ *sóoper ochtó*
12/24/36 exposures_____	δωδεκάρι/εικοσιτεσσάρι/τριανταεξάρι *dhodekári/ikositesári/triandaexári*
ASA/DIN number _____	αριθμό ΑΣΑ *arithmó asa*
daylight film_____	φιλμ για κανονικό φως *film ya kanonikó fos*
film for artificial light ___	φιλμ για τεχνητό φως *film ya technitó fos*

Problems

Could you load the _____ film for me, please?	Μπορείτε να βάλετε το φιλμ στη μηχανή, παρακαλώ;
	boríte na válete to film sti michaní, parakaló
Could you take the film _ out for me, please?	Μπορείτε να βγάλετε το φιλμ από τη μηχανή, παρακαλώ;
	boríte na vghálete to film apó ti michaní, parakaló
Should I replace _____ the batteries?	Πρέπει ν' αλλάξω τις μπαταρίες;
	prépi naláxo tis bataríes?
Could you have a look _ at my camera, please? It's not working	Μπορείτε να κοιτάξετε τη μηχανή μου; Δε λειτουργεί
	boríte na kitáxete ti michanímoo? dhe litooryí
The...is broken _____	Το...είναι χαλασμένο
	to...íne chalazméno
The film's jammed _____	Το φιλμ έχει μπλεχτεί
	to film éhi blechtí
The film's broken _____	Το φιλμ κόπηκε
	to film kópike
The flash isn't working _	Το φλας δε λειτουργεί
	to flash dhe litooryí

Processing and prints

I'd like to have this film _ developed/printed, please	Θα ήθελα να εμφανίσετε/εκτυπώσετε αυτό το φιλμ
	tha íthela na emfanísete/ektipósete aftó to film
I'd like...prints from _____ each negative	Θα ήθελα...φωτογραφίες από κάθε αρνητικό
	tha íthela...fotoghrafíes apó káthe arnitikó
glossy/matt _____	γυαλιστερό/ματ
	yalisteró/mat
6x9 _____	έξι επί εννιά
	éxi epí enyá

I'd like to reorder ____ these photos	Θέλω να παραγγείλω κι άλλες φωτογραφίες απ' αυτές
	thélo na parangílo kyáles fotoghrafíes apaftés
I'd like to have this____ photo enlarged	Θα ήθελα να μου μεγεθύνετε αυτή τη φωτογραφία
	tha íthela na moo meyethínete aftí ti fotoghrafía
How much is _____ processing?	Πόσο κάνει η εμφάνιση;
	póso káni i emfánisi?
– printing _____	Πόσο κάνει η εκτύπωση;
	póso káni i ektíposi?
– it to re-order_____	Πόσο κάνει η παραγγελία έξτρα φωτογραφιών;
	póso káni i paranghelía éxtra fotoghrafyón?
– the enlargement ____	Πόσο κάνει η μεγέθυνση;
	póso káni i meyéthinsi?
When will they _____ be ready?	Πότε θα είναι έτοιμες;
	póte tha íne étimes?

10.5 At the hairdresser's

Do I have to make an __ appointment?	Πρέπει να κλείσω ραντεβού;
	prépi na klíso randevóo?
Can I come in straight__ away?	Μπορείτε να με εξυπηρετήσετε αμέσως;
	boríte na me exipiritísete amésos?
How long will I have ___ to wait?	Πόση ώρα πρέπει να περιμένω;
	pósi óra prépi na periméno?
I'd like a shampoo/ ____ haircut	Θα ήθελα να λούσετε/κόψετε τα μαλλιά μου
	tha íthela na lóosete/kópsete ta malyámoo

'd like a shampoo for __ oily/dry hair, please	Θα ήθελα ένα σαμπουάν για λιπαρά/ξηρά μαλλιά *tha íthela éna sampwán ya lipará/xirá malyá*
an anti-dandruff _____ shampoo	Θα ήθελα ένα σαμπουάν κατά της πιτυρίδας; *tha íthela éna sampwán katá tis pitirídhas*
- a shampoo for _____ permed/coloured hair	Θα ήθελα ένα σαμπουάν για μαλλιά με περμανάντ/για βαμμένα μαλλιά *tha íthela éna sampwán ya malyá me permanánt/ya vaména malyá*
- a colour rinse _____ shampoo	Θα ήθελα ένα σαμπουάν με χρώμα *tha íthela éna sampwán me chróma*
- a shampoo with ____ conditioner	Θα ήθελα ένα σαμπουάν με κρέμα λουσίματος *tha íthela éna sampwán me kréma loosímatos*
- highlights _____	Θα ήθελα ένα κουπ-σολέι *tha íthela éna koop-soléi*
Do you have a colour __ chart, please?	Έχετε ένα δειγματολόγιο χρωμάτων; *éhete éna dhighmatolóyio chromáton?*
I want to keep it the____ same colour	Θέλω να κρατήσω το ίδιο χρώμα *thélo na kratíso to ídhyo chróma*
'd like it darker/lighter _	Τα θέλω πιο σκούρα/πιο ανοιχτά *ta thélo pyo skóora/pyo anichtá*
'd like a short fringe ___	Θέλω τη φράντζα μου πιο κοντή *thélo ti frándza moo pyo kondí*
Not too short at the ___ back	Θέλω να μην είναι πολύ κοντά πίσω *thélo na min íne polí kondá píso*
Not too long here_____	Θέλω να μην είναι πολύ μακριά εδώ *thélo na min íne polí makriá edhó*
'd like/I don't want ___ (many) curls	(Δε) θέλω να έχω (πολλές) μπούκλες *(dhe) thélo na écho (polés) bóokles*
It needs a little/_____ a lot taken off	Τα θέλω λίγο πιο κοντά/πολύ πιο κοντά *ta thélo lígho pyo kondá /polí pyo kondá*
want a completely ____ different style	Θέλω τελείως διαφορετικό στυλ *thélo telíos dhiaforetikó stil*

I'd like it the same... ___	Θέλω τα μαλλιά μου σαν... *thélo ta malyámoo san...*
– as that lady's _____	Θέλω τα μαλλιά μου σαν αυτής της κυρίας *thélo ta malyámoo san aftís tis kirías*
– as in this photo _____	Θέλω τα μαλλιά μου όπως σ' αυτή τη φωτογραφία *thélo ta malyámoo ópos saftí ti fotoghrafía*
Could you put the ____ drier up/down a bit?	Μπορείτε να βάλετε την κάσκα πιο ψηλά/πιο χαμηλά; *boríte na válete tingáska pyo psilá/pyo chamilá?*
I'd like a facial_____	Θα ήθελα μια μάσκα προσώπου *tha íthela mya máska prosópoo*
– a manicure _____	Θα ήθελα ένα μανικιούρ *tha íthela éna manikyóor*
– a massage _____	Θα ήθελα ένα μασάζ *tha íthela éna masáz*
Could you trim my..., ___ please?	Μπορείτε να κόψετε λίγο...μου, παρακαλώ; *boríte na kópsete lígho...moo, parakaló?*

Πώς θέλετε να κόψω τα μαλλιά σας;	How do you want it cut?
Πιο στυλ θέλετε;	What style did you have in mind?
Τί χρώμα θέλετε;	What colour did you want it?
Είναι καλή αυτή η θερμοκρασία;	Is the temperature all right for you?
Θέλετε κάτι να διαβάσετε;	Would you like something to read?
Θέλετε να πιείτε κάτι;	Would you like a drink?
Σας αρέσει έτσι;	Is this what you had in mind?

Could you trim my fringe?	Μπορείτε να κόψετε λίγο τη φράντζα μου, παρακαλώ;
	boríte na kópsete lígho ti frándzamoo, parakaló?
– my beard?	Μπορείτε να κόψετε λίγο τα γένια μου, παρακαλώ;
	boríte na kópsete lígho ta yényamoo, parakaló?
– my moustache?	Μπορείτε να κόψετε λίγο το μουστάκι μου, παρακαλώ;
	boríte na kópsete lígho to moostákimoo, parakaló?
I'd like a shave, please	Ξύρισμα, παρακαλώ
	xírizma, parakaló
I'd like a wet shave, please	Θέλω να με ξυρίσετε με ξυράφι, παρακαλώ
	thélo na me xirísete me xiráfi, parakaló

11

At the Tourist Information Centre

11.1 Places of interest

Where's the Tourist Information Centre, please?	Πού βρίσκεται το γραφείο τουρισμού; *poo vrískete to grhafío toorizmóo?*
Do you have a city map?	Έχετε ένα χάρτη της πόλης; *éhete éna chárti tis pólis?*
Could you give me some information about...?	Μπορείτε να μου δώσετε πληροφορίες για... *boríte na moo dhósete pliroforíes ya ...*
How much is that?	Πόσο σας οφείλουμε; *póso sas ofíloome?*
What are the main places of interest?	Ποιά είναι τα σπουδαιότερα αξιοθέατα; *pya íne ta spoodheótera axiothéata?*
Could you point them out on the map?	Μπορείτε να τα δείξετε στο χάρτη; *boríte na ta dhíxete sto chárti?*
What do you recommend?	Τί μας συμβουλεύετε; *ti mas simvoolévete?*
We'll be here for a few hours	Θα μείνουμε εδώ λίγες ώρες *tha mínoome edhó líyes óres*
– a day	Θα μείνουμε εδώ μία μέρα *tha mínoome edhó mía méra*
– a week	Θα μείνουμε εδώ μία εβδομάδα *tha mínoome edhó mía evdhomádha*
We're interested in...	Ενδιαφερόμαστε για... *endhiaferómaste ya ...*
Is there a scenic walk around the city?	Μπορούμε να κάνουμε μια βόλτα στην πόλη; *boróome na kánoome mya vólta stimbóli?*
How long does it take?	Πόσο κρατάει; *póso kratái?*

English	Greek
Where does it start/end?	Πού είναι η αφετηρία/το τέρμα; *poo íne i afetiría/to térma?*
Are there any boat cruises here?	Υπάρχουν εδώ εκδρομικά καραβάκια; *ipárchoon edhó ekdhromiká karavákya?*
Where can we board?	Πού μπορούμε να μπαρκάρουμε; *poo boróome na barkároome?*
Are there any bus tours?	Γίνονται εκδρομές με πούλμαν; *yínonde ekdhromés me póolman?*
Where do we get on?	Πού πρέπει να ανεβούμε; *poo prépi na anevóome?*
Is there a guide who speaks English?	Υπάρχει ένας ξεναγός με αγγλικά; *ipárchi énas xenaghós me angliká?*
What trips can we take around the area?	Τι εκδρομές μπορεί να κάνει κανείς σ' αυτή την περιοχή; *ti ekdhromés borí na kánis saftí timberiohí?*
Are there any excursions?	Υπάρχουν οργανωμένες εκδρομές; *ipárchoon orghanoménes ekdhromés?*
Where do they go to?	Για πού; *ya poo?*
We'd like to go to...	Θέλουμε να πάμε σε... *théloome na pàme se ...*
How long is the trip?	Πόσο κρατάει αυτή η διαδρομή; *póso kratái aftí i dhiadromí?*
How long do we stay in...?	Πόση ώρα θα μείνουμε σε... *pósi óra tha mínoome se ...?*
Are there any guided tours?	Γίνονται ξεναγήσεις εκεί; *yínonde xenayísis ekí?*
How much free time will we have there?	Πόση ώρα θα έχουμε στη διάθεσή μας εκεί; *pósi óra tha échoome sti dhiáthesímas ekí?*
We want to go hiking	Θέλουμε να κάνουμε πεζοπορία *théloome na kánoome pezoporía*

Can we hire a guide?	Μπορούμε να νοικιάσουμε έναν ξεναγό;
	boróome na nikyásoome énan xenaghó?
Can I book mountain huts?	Μπορώ να κλείσω ένα ορειβατικό καταφύγιο;
	boró na klíso éna orivatikó katafíyio?
What time does... open/close?	Τί ώρα ανοίγει/κλείνει το...;
	to óra aníyi/klíni to...?
What days is...open/ closed?	Ποιές μέρες είναι ανοιχτό/κλειστό το...;
	pyes méres íne anichtó/klistó to ...?
What's the admission price?	Πόσο κοστίζει η είσοδος;
	póso kostízi i ísodhos?
Is there a group discount?	Κάνετε έκπτωση για γκρουπ;
	kánete ékptosi ya groop?
Is there a child discount?	Κάνετε έκπτωση για παιδιά;
	kánete ékptosi ya pedhyá?
Is there a discount for pensioners?	Κάνετε έκπτωση για ηλικιωμένους;
	kánete ékptosi ya ilikyoménoos?
Can I take (flash) photos/can I film here?	Επιτρέπεται εδώ η φωτογράφηση (με φλας)/η κινηματογράφηση;
	epitrépete edhó i fotoghráfisi (me flash)/i kinimatoghráfisi?
Do you have any postcards of...?	Πουλάτε κάρτες με...;
	pooláte kártes me ...?
Do you have an English...?	Έχετε ένα ... στα αγγλικά;
	éhete éna ... sta angliká?
– an English catalogue?	Έχετε ένα κατάλογο στα αγγλικά;
	éhete éna katálogho sta angliká?
– an English programme?	Έχετε ένα πρόγραμμα στα αγγλικά;
	éhete éna prógrama sta angliká?
– an English brochure?	Έχετε ένα φυλλάδιο στα αγγλικά;
	éhete éna filádhio sta angliká?

11.2 Going out

● **In Greece theatres** and cinemas are usually open-air in the summer. Theatre performances usually start at 8.30pm in winter, but later in summer. Cinemas show films between approximately 1.30 and 11pm.

Do you have this week's/month's entertainment guide?	Έχετε το Αθηνόραμα αυτής της εβδομάδας/αυτού του μήνα; *éhete to athinórama aftís tis evdhomádhas/aftóo too mína?*
What's on tonight?	Τί μπορούμε να κάνουμε απόψε; *ti boróome na kánoome apópse?*
We want to go to...	Θέλουμε να πάμε σε... *théloome na páme se ...*
Which films are showing?	Ποιές ταινίες παίζονται τώρα; *pyes teníes pézonde tóra?*
What sort of film is that?	Τί είδος ταινία είναι αυτή; *ti ídhos tenía íne aftí?*
suitable for the whole family	για όλες τις ηλικίες *ya óles tis ilikíes*
not suitable for children	άνω των 12/16 χρονών *áno ton dhódheka me dekaéxi chronón*
original version	πρωτότυπη έκδοση *protótipi ékdhosi*
subtitled	με υπότιτλους *me ipotítloos*
dubbed	ντουμπλαρισμένη *dooblarizméni*
Is it a continuous showing?	Είναι παράσταση χωρίς διάλειμμα; *íne parástasi chorís dhiálima?*
What's on at...?	Τί παίζουν στο... *ti pézoon sto...*
– the theatre?	Τί παίζουν στο θέατρο; *ti pézoon sto théatro?*

– the concert hall? ____	Τι παίζουν στην αίθουσα συναυλιών; *ti pézoon stin éthoosa sinavlyón?*
– the opera? ____	Τι παίζουν στην όπερα; *ti pézoon stin ópera?*
Where can I find a ____ good disco around here?	Έχει εδώ κοντά καμμιά καλή ντίσκο; *éhi edhó kondá kamyá kalí dísko?*
Is it members only? ____	Πρέπει να είσαι μέλος; *prépi na íse mélos?*
Where can I find a ____ good nightclub around here?	Έχει εδώ κοντά κανένα καλό νυχτερινό κέντρο; *éhi edhó kondá kanéna kaló nichterinó kéndro?*
Is it evening wear only? ____	Είναι υποχρεωτική η βραδινή ενδυμασία; *íne ipochreotikí i vradhiní endhimasía?*
Should I/we wear ____ formal dress?	Ενδείκνυται η βραδινή ενδυμασία; *endhikníete i vradhiní endhimasía?*
What time does the ____ show start?	Τι ώρα αρχίζει η παράσταση; *ti óra archízi i parástasi?*
When's the next ____ soccer match?	Πότε θα γίνει ο επόμενος ποδοσφαιρικός αγώνας; *póte tha yíni o epómenos podhosferikós aghónas?*
Who's playing? ____	Ποιές ομάδες παίζουν; *pyes omádhes pézoon?*
I'd like an escort for____ tonight. Could you arrange that for me?	Θέλω για απόψε ένα/μία έσκορτ. Μπορείτε να μου το κανονίσετε; *thélo ya apópse éna/mía éskort. boríte na moo to kanonísete?*

11.3 Booking tickets

Could you book some tickets for us?	Μπορείτε να μας κλείσετε εισιτήρια; *boríte na mas klísete isitírya?*
We'd like to book... seats/a table...	Θέλουμε...θέσεις/ένα τραπέζι *théloome...thésis/éna trapézi*
– in the stalls	Θέλουμε...θέσεις στην πλατεία *théloome...thésis stimblatía*
– on the balcony	Θέλουμε...θέσεις στον εξώστη *théloome...thésis ston exósti*
– box seats	Θέλουμε...θέσεις στο θεωρείο *théloome...thésis sto theorío*
– a table at the front	Θέλουμε...θέσεις/ένα τραπέζι μπροστά *théloome...thésis/éna trapézi brostá*
– in the middle	Θέλουμε...θέσεις/ένα τραπέζι στη μέση *théloome...thésis/éna trapézi sti mési*
– at the back	Θέλουμε...θέσεις/ένα τραπέζι πίσω *théloome...thésis/éna trapézi píso*
Could I book...seats for the...o'clock performance?	Μπορώ να κλείσω...θέσεις για την παράσταση στις...; *boró na klíso...thésis ya timbarástasi stis...?*
Are there any seats left for tonight?	Υπάρχουν ακόμα εισιτήρια για απόψε; *ipárchoon akóma isitírya ya apópse?*
How much is a ticket?	Πόσο κοστίζει το εισιτήριο; *póso kostízi to isitíryo?*

When can I pick the____ tickets up?	Πότε μπορώ να πάρω τα εισιτήρια; *póte boró na páro ta isitírya?*
I've got a reservation___	Έχω κλείσει θέσεις *écho klísi thésis*
My name's... _____	Το όνομά μου είναι... *to onomámoo íne...*

Για ποιά παράσταση θέλετε να κλείσετε εισιτήρια;	Which performance do you want to book for?
Πού θέλετε να καθίσετε;	Where would you like to sit?
Όλα πουλήθηκαν	Everything's sold out
Υπάρχουν μόνο θέσεις για όρθιους	It's standing room only
Υπάρχουν μόνο θέσεις στον εξώστη	We've only got balcony seats left
Υπάρχουν μόνο θέσεις στη γαλαρία	We've only got seats left in the gallery
Υπάρχουν μόνο θέσεις στην πλατεία	We've only got stalls seats left
Υπάρχουν μόνο θέσεις μπροστά	We've only got seats left at the front
Υπάρχουν μόνο θέσεις πίσω	We've only got seats left at the back
Πόσες θέσεις θέλετε;	How many seats would you like?
Πρέπει να πάρετε τα εισιτήρια πριν από τις...	You'll have to pick up the tickets before...o'clock
Τα εισιτήριά σας, παρακαλώ	Tickets, please
Ορίστε, η θέση σας	This is your seat

12.1 Sporting questions

Where can we... _____ around here?	Πού μπορούμε να...εδώ; *poo boróome na...edhó?*
Is there a... _____ around here?	Υπάρχει ένα...εδώ κοντά; *ipárchi éna...edhó kondá?*
Can I hire a...here? ____	Μπορώ να νοικιάσω ένα...; *boró na nikyáso éna...?*
Can I take...lessons? ___	Γίνονται μαθήματα...; *yínonde mathímata...?*
How much is that per ___ hour/per day/a turn?	Πόσο κοστίζει την ώρα/τη μέρα/τη φορά; *póso kostízi tin óra/ti méra/ti forá?*
Do I need a permit _____ for that?	Χρειάζομαι μια άδεια για αυτό; *chriázome mya ádhya yavtó?*
Where can I get _____ the permit?	Πού μπορώ να βγάλω μια τέτοια άδεια; *poo boró na vghálo mya tétya ádhya?*

12.2 By the waterfront

Is it a long way to _____ the sea still?	Η θάλασσα είναι ακόμα μακριά; *i thálasa íne akóma makriá?*
Is there a...around _____ here?	Υπάρχει κι ένα...εδώ κοντά; *ipárchi kyéna ... edhó kondá?*
– an outdoor/indoor/ ___ public swimming pool	Υπάρχει και μια πισίνα εδώ κοντά; *ipárchi ke mya pisína edhó kondá?*
– a sandy beach_____	Υπάρχει και μια παραλία εδώ κοντά; *ipárchi ke mya paralía edhó kondá?*
– a nudist beach_____	Υπάρχει και μια πλαζ για γυμνιστές εδώ κοντά; *ipárchi ke mya plaz ya yimnistés edhó kondá?*
– mooring _____	Υπάρχει και μια μαρίνα εδώ κοντά; *ipárchi ke mya marína edhó kondá?*

Are there any rocks here?	Έχει και βράχους εδώ;
	éhi ke vráchoos edhó?
When's high/low tide?	Τί ώρα έχει παλίρροια/άμπωτη;
	ti óra éhi palíria/ámboti?
What's the water temperature?	Τί θερμοκρασία έχει το νερό;
	ti thermokrasía éhi to neró?
Is it (very) deep here?	Είναι (πολύ) βαθιά εδώ;
	íne (polí) vathyá edhó?
Can you stand here?	Πατώνεις εδώ;
	patónis edhó?
Is it safe (for children) to swim here?	Είναι ασφαλές το κολύμπι εδώ (για παιδιά);
	íne asfalés to kolímbi edhó (ya pedhyá)?
Are there any currents?	Έχει ρεύματα εδώ;
	éhi révmata edhó?
Are there any rapids/ waterfalls in this river?	Αυτό το ποτάμι έχει καταρράχτες;
	aftó to potámi éhi kataráchtes?
What does that flag/ buoy mean?	Τί σημαίνει εκείνη η σημαία/σημαδούρα εκεί;
	ti siméni ekíni i siméa/simadhóora ekí?
Is there a lifeguard on duty here?	Έχει εδώ κανένα ακτοφύλακα που να προσέχει;
	éhi edhó kanéna aktofílaka poo na proséhi?
Are dogs allowed here?	Επιτρέπονται εδώ τα σκυλιά;
	epitréponde edhó ta skilyá?
Is camping on the beach allowed?	Επιτρέπεται η κατασκήνωση εδώ στην παραλία;
	epitrépete i kataskínosi edhó stimbaralía?

ΑΠΑΓΟΡΕΥΕΤΑΙ ΤΟ ΚΟΛΥΜΠΙ	ΑΠΑΓΟΡΕΥΕΤΑΙ ΤΟ ΨΑΡΕΜΑ	ΚΙΝΔΥΝΟΣ
no swimming	no fishing	danger
ΑΠΑΓΟΡΕΥΕΤΑΙ ΤΟ ΣΕΡΦΙΝΓΚ	ΕΠΙΤΡΕΠΕΤΑΙ ΤΟ ΨΑΡΕΜΑ	ΜΟΝΟ ΜΕ ΑΔΕΙΑ
no surfing	fishing permitted	permits only

Are we allowed to _____ build a fire here?	Επιτρέπεται να ανάβει κανείς εδώ φωτιά;
	epitrépete nanávi kanís edhó fotyá?

12.3 Water sports

Can I take water-ski_____ lessons here?	Μπορώ να κάνω εδώ θαλάσσιο σκι;
	boró na káno edhó thalásyo ski?
Can I get diving _____ instruction here?	Μπορώ να κάνω μαθήματα κατάδυσης;
	boró na káno mathímata katadhísis?
How large are the_____ groups?	Πόσο μεγάλα είναι τα γκρουπ;
	póso meghála íne ta groop?
What language _____ are the classes in?	Σε ποια γλώσσα παραδίνονται τα μαθήματα;
	se pya ghlósa paradhínonde ta mathímata?
Can I hire diving _____ equipment here?	Μπορώ να νοικιάσω εδώ εξαρτήματα κατάδυσης;
	boró na nikyáso edhó exartímata katádhisis?
Can I dive here? _____	Μπορώ να κάνω εδώ κατάδυση;
	boró na káno edhó katádhisi?

13

Sickness

13.1 Call (fetch) the doctor

Could you call/fetch a __ doctor quickly, please?	Παρακαλώ, καλέστε/ειδοποιήστε γρήγορα ένα γιατρό *parakaló, kaléste/idhopiíste ghríghora éna yatró*
When does the doctor _ have surgery?	Πότε δέχεται ο γιατρός; *póte dhéchete o yatrós?*
When can the doctor___ come?	Πότε μπορεί να έρθει ο γιατρός; *póte borí na érthi o yatrós?*
I'd like to make an _____ appointment to see the doctor	Μπορείτε να μου κλείσετε ένα ραντεβού με το γιατρό; *boríte na moo klísete éna randevóo me to yatró?*
I've got an appointment to see the doctor at...	Έχω ένα ραντεβού με το γιατρό στις... *écho éna randevóo me to yatró stis ...*
Which doctor/chemist___ has night/weekend duty?	Ποιος γιατρός/ποιό φαρμακείο διανυκτερεύει/διανυκτερεύει το Σαββατοκύριακο; *pyos yatrós/pyo farmakío dhianikterévi/dhianikterévi to savatokíryako?*

13.2 Patient's ailments

I don't feel well _____	Δεν αισθάνομαι καλά *dhen esthánome kalá*
I'm dizzy_____	Ζαλίζομαι *zalízome*
– ill_____	Είμαι άρρωστος/άρρωστη *íme árostos/árosti*
– sick _____	Ανακατεύεται το στομάχι μου *anakatévete to stomáchimoo*

I've got a cold_____	Είμαι κρυωμένος/κρυωμένη
	íme krioménos/krioméni
It hurts here_____	Πονάω εδώ
	ponáo edhó
I've been throwing up __	Έκανα εμετό
	ékana emetó
I've got... _____	Μ' ενοχλεί...
	menochlí...
I'm running a_____ temperature of...degrees	Έχω...βαθμούς πυρετό
	écho...vathmóos piretó
I've been stung by _____ a wasp	Με τσίμπησε μια σφήκα
	me tsíbise mya sfíka
I've been stung by an __ insect	Με τσίμπησε ένα έντομο
	me tsíbise éna éndomo
I've been bitten by_____ a dog	Με δάγκωσε ένας σκύλος
	me dhángose énas skílos
I've been stung by_____ a jellyfish	Με τσίμπησε μια μέδουσα;
	me tsímbise mya medhóosa
I've been bitten by_____ a snake	Με δάγκωσε ένα φίδι
	me dhángose éna fídhi
I've been bitten by_____ an animal	Με δάγκωσε ένα ζώο
	me dhángose éna zó-o
I've cut myself _____	Κόπηκα
	kópika
I've burned myself _____	Κάηκα
	káika
I've grazed myself _____	Γρατσουνίστηκα
	ghratsoonístika
I've had a fall _____	Έπεσα
	épesa
I've sprained my ankle _	Στραμπούληξα τον αστράγαλό μου
	strambóolixa ton astrághalómoo
I've come for the _____ morning-after pill	Έρχομαι για το μόρνιγκ-άφτερ-χάπι
	érchome ya to morning-áfter-chápi

13.3 The consultation

Greek	English
Τι ενοχλήσεις έχετε;	What seems to be the problem?
Από πότε αισθάνεσθε έτσι;	How long have you had these symptoms?
Είχατε και παλαιότερα αυτές τις ενοχλήσεις;	Have you had this trouble before?
Τι πυρετό έχετε;	How high is your temperature?
Γδυθείτε, παρακαλώ	Get undressed, please
Μπορείτε να γδυθείτε μέχρι τη μέση;	Strip to the waist, please
Μπορείτε να γδυθείτε εκεί	You can undress there
Σηκώστε το αριστερό/δεξιό μανίκι σας, παρακαλώ	Roll up your left/right sleeve, please
Ξαπλώστε εκεί	Lie down here, please
Πονάτε εδώ;	Does this hurt?
Αναπνεύστε βαθιά	Breathe deeply
Ανοίξτε το στόμα σας	Open your mouth

Patient's medical history

I'm a diabetic _____ Είμαι διαβητικός
íme dhiavitikós

I have a heart condition Είμαι καρδιακός
íme kardhiakós

I have asthma _____ Έχω άσθμα
écho ásthma

I'm allergic to... _____ Είμαι αλλεργικός σε...
íme aleryikós se...

I'm...months pregnant __ Είμαι...μηνών έγκυος
íme...minón éngios

I'm on a diet _____	Κάνω δίαιτα *káno dhíeta*
I'm on medication/the pill	Παίρνω φάρμακα/το χάπι *pérno fármaka/to chápi*
I've had a heart attack once before	Έχω ξαναπάθει καρδιακή προσβολή *écho xanapáthi kardhiakí prosvolí*
I've had a(n)... operation	Έκανα εγχείρηση στο... *ékana enchírisi sto...*
I've been ill recently _____	Πρόσφατα ήμουν άρρωστος/άρρωστη *prósfata ímoon árostos/árosti*
I've got an ulcer _____	Έχω στομαχικό έλκος *écho stomachikó élkos*
I've got my period _____	Έχω περίοδο *écho períodho*

Είστε αλλεργικός σε κάτι;	Do you have any allergies?
Παίρνετε φάρμακα	Are you on any medication?
Κάνετε δίαιτα;	Are you on a diet?
Είστε έγκυος;	Are you pregnant?
Είστε εμβολιασμένος κατά του τέτανου...;	Have you had a tetanus injection?

The diagnosis

Δεν είναι τίποτα σοβαρό	It's nothing serious
Έχετε σπάσει...το/τη...σας	Your...is broken
Έχετε στραμπουλήξει... το/τη...σας	You've got a strained/ sprained...
Έχετε σκίσει...το/τη...σας	You've got (a) torn...
Έχετε μια φλεγμονή	You've got an inflammation
Έχετε σκωληκοειδίτιδα	You've got appendicitis
Έχετε βρογχίτιδα	You've got bronchitis
Έχετε ένα αφροδίσιο νόσημα	You've got a venereal disease
Έχετε γρίππη	You've got the flu
Πάθατε καρδιακή προσβολή	You've had a heart attack
Έχετε ίωση/βακτηριακή μόλυνση	You've got an infection (viral..., bacterial...)
Έχετε πνευμονία	You've got pneumonia
Έχετε έλκος	You've got an ulcer
Έχετε πάθει νευροκαβαλίκεμα	You've pulled a muscle
Έχετε κολπική μόλυνση	You've got a vaginal infection
Πάθατε τροφική δηλητηρίαση	You've got food poisoning
Έχετε πάθει ηλίαση	You've got sunstroke
Είστε αλλεργικός στο/στη...	You're allergic to...
Είστε έγκυος	You're pregnant
Θέλω να κάνω εξέταση του αίματός σας/των ούρων σας/των κοπράνων σας	I'd like to have your blood/urine/stools tested
Πρέπει να ραφτεί	It needs stitching
Σας στέλνω σ' ένα ειδικό/σ' ένα νοσοκομείο	I'm referring you to a specialist/ sending you to hospital
Πρέπει να κάνουμε ακτινογραφίες	You'll need to have some x-rays taken

The diagnosis (continued from previous page)

Πρέπει να περιμένετε δύο λεπτά στην αίθουσα αναμονής	Could you wait in the waiting room, please?
Πρέπει να εγχειρισθείτε	You'll need an operation

Is it contagious?	Είναι κολλητικό;
	íne kolitikó?
How long do I have to stay...?	Πόσο καιρό πρέπει να μείνω σε...;
	póso kyeró prépi na míno se...?
– in bed	Πόσο καιρό πρέπει να μείνω στο κρεβάτι;
	póso kyeró prépi na míno sto kreváti?
– in hospital	Πόσο καιρό πρέπει να μείνω στο νοσοκομείο;
	póso kyeró prépi na míno sto nosokomío?
Do I have to go on a special diet?	Πρέπει να κάνω καμιά δίαιτα;
	prépi na káno kamyá dhíeta?
Am I allowed to travel?	Μπορώ να ταξιδέψω;
	boró na taxidhépso?
Can I make a new appointment?	Μπορώ να κλείσω ένα άλλο ραντεβού;
	boró na klíso éna álo randevóo?
When do I have to come back?	Πότε πρέπει να ξανάρθω;
	póte prépi na xanártho?
I'll come back tomorrow	Θα ξανάρθω αύριο
	tha xanártho ávrio

Πρέπει να ξαναρθείτε αύριο/σε...μέρες	Come back tomorrow/in...days' time

13.4 Medication and prescriptions

How do I take this ____ medicine?	Πώς πρέπει να το παίρνω αυτό το φάρμακο; *pos prépi na to pérno aftó to fármako?*
How many capsules/___ drops/injections/ spoonfuls/tablets each time?	Πόσες κάψουλες/σταγόνες/ενέσεις/πόσα κουταλάκια/χάπια τη φορά; *póses kapsóoles/staghónes/enésis/pósa kootalákya/chápya ti forá?*
How many times a ____ day?	Πόσες φορές την ημέρα; *póses forés tin iméra?*
I've forgotten my ____ medication. At home I take...	Ξέχασα τα φάρμακά μου. Σπίτι χρησιμοποιώ... *xéchasa ta fármakámoo. spíti chrisimopió ...*
Could you make out a__ prescription for me?	Μπορείτε να μου δώσετε μια συνταγή; *boríte na moo dhósete mya sintayí?*

Θα σας δώσω αντιβιοτικά/ένα σιρόπι/ένα ηρεμιστικό/ένα παυσίπονο	I'm prescribing antibiotics/a mixture/a tranquilliser/painkillers
Πρέπει να ξεκουραστείτε	Have lots of rest
Καλύτερα να μην βγείτε έξω	Stay indoors
Πρέπει να μείνετε στο κρεβάτι	Stay in bed

αλείφω	κατά τη διάρκεια...	παίρνω
rub on	ημερών	take
αλοιφή	for...days	πριν από κάθε
ointment	καταπίνω ολόκληρο	γεύμα
αυτά τα φάρμακα	swallow whole	before every meal
επηρεάζουν την	κάψουλες	σταγόνες
ικανότητα	capsules	drops
οδήγησης	κουτάλια/κουταλάκι	τελειώνω τη
this medication	α	θεραπεία
impairs your driving	spoonfuls	finish the course
διαλύω σε νερό	(tablespoons/	of treatment
dissolve in water	teaspoons)	...φορές το
ενέσεις	μόνο για εξωτερική	μερόνυχτο
injections	χρήση	...times a day
κάθε...ώρες	not for internal	χάπια
every...hours	use	pills

13.5 At the dentist's

Do you know a good ___ dentist?	Ξέρετε ένα καλό οδοντογιατρό; *xérete éna kaló odhondoyatró?*
Could you make a ___ dentist's appointment for me? It's urgent	Μπορείτε να μου κλείσετε ραντεβού με τον οδοντογιατρό; Είναι επείγον *boríte na moo klísete randevóo me ton odhondoyatró? íne epíghon*
Can I come in today, ___ please?	Μπορώ να έρθω σήμερα, παρακαλώ; *boró na értho símera, parakaló?*
I have (terrible) ___ toothache	Έχω (φοβερό) πονόδοντο *écho (foveró) ponódhondo*
Could you prescribe/___ give me a painkiller?	Μπορείτε να μου γράψετε/δώσετε ένα παυσίπονο; *boríte na moo ghrápsete/dhósete éna pafsípono?*

A piece of my tooth ___ has broken off	Έσπασε ένα κομματάκι του δοντιού μου/του τραπεζίτη μου *éspase éna komatáki too dondyóomoo/too trapezítimoo*
My filling's come out ___	Βγήκε ένα σφράγισμα *vyíke éna sfráyisma*
I've got a broken ___ crown	Έσπασε η κορόνα μου *éspase i koróna moo*
I'd like/I don't want a ___ local anaesthetic	Θέλω/δε θέλω τοπική αναισθησία *thélo/dhe thélo topikí anesthisía*
Can you do a makeshift repair job?	Μπορείτε να με βοηθήσετε προσωρινά; *boríte na me voithísete prosoriná?*
I don't want this tooth ___ pulled	Δε θέλω να το βγάλετε αυτόν τον τραπεζίτη *dhe thélo na to vghálete aftón ton trapezíti*
My dentures are ___ broken. Can you fix them?	Η μασέλα μου έσπασε. Μπορείτε να τη φτιάξετε; *i masélamoo éspase. boríte na ti ftyáxete?*

Ποιό δόντι/ποιός τραπεζίτης σαςπονάει;	Which tooth/molar hurts?
Έχετε ένα απόστημα	You've got an abscess
Πρέπει να κάνω απονεύρωση	I'll have to do a root canal
Θα σας κάνω τοπική αναισθησία	I'm giving you a local anaesthetic
Πρέπει να βουλώσω/βγάλω/λιμάρω αυτό το δόντι	I'll have to fill/pull/file this tooth down
Πρέπει να τρυπήσω το δόντι	I'll have to drill
Ανοίξτε το στόμα	Open wide, please
Κλείστε το στόμα	Close your mouth, please
Ξεπλύντε το	Rinse, please
Πονάει ακόμα;	Does it hurt still?

14

In trouble

14.1 Asking for help

English	Greek	Transliteration
Help!	Βοήθεια!	voíthya!
Fire!	Φωτιά!	fotyá!
Police!	Αστυνομία!	astinomía!
Quick!	Γρήγορα!	ghríghora!
Danger!	Κίνδυνος!	kíndhinos!
Watch out!	Προσοχή!	prosohí!
Stop!	Σταματήστε!	stamatíste!
Be careful!	Προσοχή!	prosohí!
Don't!	Μή!	mi!
Let go!	Άφήστέ το!	afiséto
Stop that thief!	Πιάστε τον κλέφτη!	pyáste tongléfti!
Could you help me, please?	Μπορείτε να με βοηθήσετε;	boríte na me voithísete?
Where's the police station/emergency exit/fire escape?	Πού είναι το αστυνομικό τμήμα/η έξοδος κινδύνου/η σκάλα πυρκαγιάς;	poo íne to astinomikó tmíma/i éxodhos kindhínoo/i skála pirkayas?
Where's the nearest fire extinguisher?	Πού βρίσκεται ένας πυροσβεστήρας;	poo vrískete énas pirosvestíras?
Call the fire brigade!	Ειδοποιείστε την πυροσβεστική υπηρεσία!	idhopiíste timbirosvestikí ipiresía!

Call the police! _____	Τηλεφωνήστε στην αστυνομία!
	tilefoníste stin astinomía!
Call an ambulance! ____	Ειδοποιήστε ένα ασθενοφόρο!
	idhopiíste éna asthenofóro!
Where's the nearest____ phone?	Πού υπάρχει ένα τηλέφωνο;
	poo ipárchi éna tiléfono?
Could I use your _____ phone?	Μπορώ να χρησιμοποιήσω το τηλέφωνό σας;
	boró na chrisimopiíso to tiléfonósas?
What's the emergency _ number?	Ποιος είναι ο αριθμός του συναγερμού;
	pyos íne o arithmós too sinayermóo?
What's the number for _ the police?	Ποιος είναι ο αριθμός της αστυνομίας;
	pyos íne o arithmós tis astinomías?

14.2 Loss

I've lost my purse/ _____ wallet	Έχασα το πορτοφόλι μου
	échasa to portofólimoo
I lost my...yesterday____	Ξέχασα χτες το...μου
	xéchasa chtes to...moo
I left my...here _____	Άφησα εδώ το...μου
	áfisa edhó to...moo
Did you find my...? _____	Μήπως βρήκατε το...μου;
	mípos vríkate to...moo?
It was right here _____	Ήταν εδώ
	tan edhó
It's quite valuable _____	Είναι πολύτιμο
	íne polítimo
Where's the lost _____ property office?	Πού βρίσκεται το γραφείο ευρεθέντων αντικειμένων;
	poo vrískete to ghrafío evrethéndon andikiménon?

14.3 Accidents

There's been an _____ accident	Έγινε ένα ατύχημα *éyine éna atíhima*
Someone's fallen into __ the water	Κάποιος έπεσε στο νερό *kápyos épese sto neró*
There's a fire _____	Ξέσπασε πυρκαγιά *xéspase pirkayá*
Is anyone hurt?_____	Υπάρχουν τραυματίες; *ipárchoon travmatíes?*
Some people have_____ been/no one's been injured	(Δεν) υπάρχουν τραυματίες *(dhen) ipárchoon travmatíes*
There's someone in ____ the car/train still	Έχει και άλλον έναν στο αυτοκίνητο/στο τρένο *éhi ke álo énan sto aftokínito/sto tréno*
It's not too bad. Don't __ worry	Δεν είναι και τόσο άσχημα. Μην ανησυχείτε *dhen íne ke tóso áschima. min anisihíte*
Leave everything the ___ way it is, please	Μην κουνήσετε τίποτα *min koonísete típota*
I want to talk to the ____ police first	Θέλω πρώτα να μιλήσω με την αστυνομία *thélo próta na milíso me tin astinomía*
I want to take a_____ photo first	Θέλω πρώτα να βγάλω μία φωτογραφία *thélo próta na vghálo mya fotoghrafía*
Here's my name _____ and address	Να το όνομά μου και η διεύθυνσή μου *na to ónomámoo ke i dhiéfthinsímoo*
Could I have your_____ name and address?	Μου δίνετε το όνομά σας και τη διεύθυνσή σας; *moo dhínete to ónomásas ke ti dhiéfthinsísas?*
Could I see some_____ identification/your insurance papers?	Μπορώ να δω την ταυτότητά σας/τα χαρτιά της ασφάλειάς σας; *boró na dho tin taftótitásas/ta chartyá tis asfalyás sas?*

Will you act as a_____ witness?	Θέλετε να εμφανιστείτε ως μάρτυρας; *thélete na emfanistíte os mártiras?*
I need the details for ___ the insurance	Χρειάζομαι τα στοιχεία για την ασφάλεια *chriázome ta stihía ya tin asfálya*
Are you insured? _____	Είστε ασφαλισμένος/ασφαλισμένη; *íste asfalizménos/asfalizméni?*
Third party or _____ comprehensive?	Απλή ή μικτή ασφάλεια; *aplí i miktí asfálya?*
Could you sign here, ___ please?	Παρακαλώ, να υπογράψετε εδώ *parakaló, na ipoghrápsete edhó*

14.4 Theft

I've been robbed _____	Μ' έκλεψαν *méklepsan*
My...has been stolen ___	Έκλεψαν το...μου *éklepsan to...moo*
My car's been _____ broken into	Παραβίασαν το αυτοκίνητό μου *paravíasan to aftokínitómoo*

14.5 Missing person

I've lost my child/_____ grandmother	Έχασα το παιδί μου/τη γιαγιά μου *échasa to pedhímoo/ti yayámoo*
Could you help me ___ find him/her?	Μπορείτε να με βοηθήσετε να το/τη βρω; *boríte na me voithísete na to/ti vro?*
Have you seen a _____ small child?	Μήπως είδατε ένα μικρό παιδί; *mípos ídhate éna mikró pedhí?*
He's/she's...years old __	Είναι...χρονών *íne...chronó*

He's/she's got _____ short/long/blond/red/ brown/black/grey/curly /straight/frizzy hair

Έχει...κοντά/μακριά/ξανθά/κόκκινα/ καστανά/μαύρα/γκρίζα/σγουρά/ίσια/ κατσαρά μαλλιά

éhi kondá/makryá/xanthá/kókina/kastaná/ mávra/gríza/zghoorá/ísya/katsará malyá

with a ponytail _____ με αλογοουρά
me aloghó-oorá

with plaits _____ με κοτσίδες
me kotsídhes

in a bun _____ με κότσο
me kótso

He's/she's got_____ blue/brown/green eyes

Τα μάτια του/της είναι μπλε/καστανά/πράσινα

ta mátya too/tis íne ble/kastaná/prásina

He's wearing _____ swimming trunks/ mountaineering boots

Φοράει μαγιό/παπούτσια ορειβασίας
forái mayó/papóotsya orivasías

with/without glasses/ _ a bag

με/χωρίς γυαλιά/τσάντα
me/chorís yalyá/tsánda

tall/short_____ ψηλός/κοντός
psilós/kondós

This is a photo of _____ him/her

Να μια φωτογραφία του/της
na mya fotohrafía too/tis

He/she must be lost _ Μάλλον έχασε το δρόμο
málon échase to dhrómo

14.6 The police

An arrest

Τα χαρτιά του αυτοκινήτου σας, παρακαλώ	Your registration papers, please
Τρέχατε πολύ	You were speeding
Παρκάρατε παράνομα	You're not allowed to park here
Δε βάλατε λεφτά στο παρκόμετρο	You haven't put money in the meter
Τα φώτα σας δε λειτουργούν	Your lights aren't working
Θέλετε να πληρώσετε αμέσως;	Do you want to pay on the spot?
Πρέπει να πληρώσετε αμέσως	You'll have to pay on the spot

I don't speak Greek _____	Δε μιλάω ελληνικά *dhe miláo eliniká*
I didn't see the sign _____	Δεν είδα εκείνη την πινακίδα *dhen ídha ekíni timbinakídha*
I don't understand what it says	Δεν καταλαβαίνω τι λέει εδώ *dhengkatalavéno ti léi edhó*
I was only doing... kilometres an hour	Οδηγούσα μόνο ... χιλιόμετρα την ώρα *odhighóosa móno ... hilyómetra tin óra*
I'll have my car checked	Θα πάω το αυτοκίνητό μου στο συνεργείο *tha páo to aftokínitómoo sto sineryío*
I was blinded by oncoming lights	Τυφλώθηκα από ένα αυτοκίνητο που ερχόταν από την αντίθετη κατεύθυνση *tiflóthika apó éna aftokínito poo erchótan apó tin andítheti katéfthinsi*

At the police station

I want to report a _____ collision/missing person/rape
Ήρθα για να αναφέρω μια σύγκρουση/μια απώλεια/ένα βιασμό
írtha ya na anaféro mya síngroosi/mya apólya/éna viazmó

Could you make out ___ a report, please?
Μπορείτε να κάνετε αναφορά για το αυτόφωρο;
boríte na kánete anaforá ya to aftóforo?

Could I have a copy ___ for the insurance?
Μπορείτε να μου δώσετε ένα αντίγραφο για την ασφάλεια;
boríte na moo dhósete éna andíghrafo ya tin asfálya?

I've lost everything_____
Έχασα τα πάντα
échasa ta pánda

I've no money; I don't __ know what to do
Τα λεφτά μου τελείωσαν, δεν ξέρω τί να κάνω
ta leftámoo telíosan, dhengxéro ti na káno

Could you lend me a___ little cash?
Μπορείτε να μου δανείσετε λίγα λεφτά;
boríte na moo dhanísete lígha leftá?

Πού έγινε αυτό;	Where did it happen?
Τί χάσατε;	What's missing?
Τί έκλεψαν;	What's been taken?
Δώστε μου την ταυτότητά σας, παρακαλώ	Could I see some identification?
Τί ώρα έγινε;	What time did it happen?
Ποιοί ήταν μπλεγμένοι σ' αυτό;	Who was involved?
Υπάρχουν μάρτυρες;	Are there any witnesses?
Να συμπληρώσετε αυτό, παρακαλώ	Fill this out, please
Υπογράψτε εδώ, παρακαλώ	Sign here, please
Θέλετε ένα διερμηνέα;	Do you want an interpreter?

I'd like an interpreter ___	Θα ήθελα ένα διερμηνέα
	tha íthela éna dhierminéa
I'm innocent _____	Είμαι αθώος
	íme athó-os
I don't know anything __ about it	Δεν ξέρω τίποτα για αυτό
	dhengxéro típota yaftó
I want to speak to _____ someone from...	Θέλω να μιλήσω με κάποιον από ...
	thélo na milíso me kápyon apó ...
I want to speak to _____ someone from the British consulate	Θέλω να μιλήσω με κάποιον από το βρεττανικό προξενείο
	thélo na milíso me kápyon apó to vretanikó proxenío
I need to see someone _ from the British embassy	Θέλω να μιλήσω με κάποιον από τη βρεττανική πρεσβεία
	thélo na milíso me kápyon apó ti vretanikí prezvía
I want a lawyer who____ speaks English	Θέλω ένα δικηγόρο που να μιλάει αγγλικά
	thélo éna dhikighóro poo na milái angliká

15

Word list and Basic grammar

Word list English – Greek

● **This word list** is intended to supplement the previous chapters. Nouns are usually accompanied by the Greek definite article in order to indicate whether the word is masculine (o), feminine (Ë), or neuter (ÙÔ). In the case of a plural noun the form of the definite article will be ÔÈ for masculine and feminine nouns and Ù· for neuter nouns. In a number of cases, words not contained in this list can be found elsewhere in this book, namely in the lists of the parts of the car, the bicycle and the tent. Many food terms can be found in the Greek – English list in 4.7.

A

a little	λίγο	*lígho*
about	περίπου	*perípoo*
above	πάνω	*páno*
abroad	το εξωτερικό	*to exoterikó*
accident	το ατύχημα	*to atíhima*
according	κατά	*katá*
adder	η οχιά	*i ochyá*
addition	η πρόσθεση	*i prósthesi*
address	η διεύθυνση	*i dhiéfthinsi*
admission	η είσοδος	*i ísodhos*
admission price	η είσοδος	*i ísodhos*
adult	μεγάλος	*meghálos*
advice	η συμβουλή	*i simvoolí*
afraid (I am)	φοβάμαι	*fováme*
after, afterwards	μετά	*metá*
aftershave	το αφτερ-σέιβ	*to áfter-séiv*
afternoon	το απόγευμα	*to apóyevma*
again	ξανά	*xaná*
against	ενάντια σε	*enándya se*
age	η ηλικία	*i ilikía*
AIDS	EITZ	*éitz*
air mattress	το αερόστρωμα	*to aeróstroma*

air-conditioning	ο κλιματισμός	*o klimatizmós*
aircraft	το αεροπλάνο	*to aeropláno*
airport	το αεροδρόμιο	*to aerodhrómio*
airsickness bag	η σακούλα για εμετό	*i sakóola ya emetó*
alarm	ο συναγερμός	*o sinayermós*
alarm clock	το ξυπνητήρι	*to xipnitíri*
alcohol	το αλκοόλ	*to alkoól*
allergic	αλλεργικός	*aleryikós*
alone/only	μόνος	*mónos*
alter	αλλάζω	*alázo*
always	πάντα	*pánda*
ambulance	το ασθενοφόρο	*to asthenofóro*
amount	το ποσό	*to posó*
amusement park	το λούνα παρκ	*to lóonapark*
anaesthetize	ναρκώνω	*narkóno*
anchovy	η αντσούγια	*i antsóoya*
ancient/very old	αρχαίος	*archéos*
angry	θυμωμένος	*thimoménos*
animal	το ζώο	*to zóo*
ankle	ο αστράγαλος	*o astrághalos*
answer	η απάντηση	*i apándisi*
ant	το μυρμήγκι	*to mirmíngi*
antibiotics	τα αντιβιοτικά	*ta andiviotiká*
antifreeze	το αντιψυκτικό	*to andipsiktikó*
antique (an)	η αντίκα	*i antíka*
anus	ο πρωκτός	*o proktós*
apartment	το διαμέρισμα	*to dhiamérizma*
apologies	συγγνώμη	*sighnómi*
appetiser	το ορεκτικό	*to orektikó*
apple juice	ο χυμός μήλων	*o himós mílon*
apple	το μήλο	*to mílo*
apple sauce	ο πολτός μήλων	*o poltós mílon*
apple pie	η μηλόπιτα	*i milópita*
appointment/date	το ραντεβού	*to randevóo*
apricot	το βερίκοκο	*to veríkoko*
April	ο Απρίλιος	*o aprílios*
archbishop	ο αρχιεπίσκοπος	*o archiepískopos*

architecture	η αρχιτεκτονική	*i architektonikí*
arm	το χέρι	*to héri*
arrive	φτάνω	*ftáno*
arrow	το βέλος	*to vélos*
art	η τέχνη	*i téchni*
artery	η αρτηρία	*i artiría*
artichokes	οι αγγινάρες	*i anginá̱res*
artificial repiration	η τεχνητή αναπνοή	*i technití anapnoí*
ashtray	το τασάκι	*to tasáki*
ask (for)	ζητώ	*zitó*
ask (question)	ρωτάω	*rotáo*
asparagus	τα σπαράγγια	*ta sparángya*
aspirin	η ασπιρίνη	*i aspiríni*
at home	σπίτι	*spíti*
aubergine	η μελιτζάνα	*i melitzána*
August	ο Αύγουστος	*o ávghoostos*
automatic (adj.)	αυτόματος	*aftómatos*
automatic (noun)	το αυτόματο	*to aftómato*
autumn	το φθινόπωρο	*to fthinóporo*
awake	ξύπνιος	*xípnios*
awning	το αλεξήλιο	*to alexílyo*

B

baby food	το φαγητό για μωρά	*to fayitó ya morá*
baby	το μωρό	*to moró*
baby's bottle	το μπιμπερό	*to biberó*
babysitter	η μπέιμπυ σίτερ	*i béibi-síter*
bachelor	ο εργένης	*o eryénis*
back	η πλάτη	*i pláti*
back, at the	πίσω	*píso*
backpack	ο σάκος	*o sákos*
bacterial infection	η βακτηριακή μόλυνση	*i vaktiriakí mólinsi*
bad (serious)	σοβαρός	*sovarós*
bad	κακός	*kakós*

bakery	το αρτοπωλείο/ο φούρνος	*to artopolío/o fóornos*
balcony (in theatre)	ο εξώστης	*o exóstis*
balcony	το μπαλκόνι	*to balkóni*
ball	η μπάλα	*i bála*
ballet	το μπαλέτο	*to baléto*
banana	η μπανάνα	*i banána*
bandage	ο επίδεσμος	*o epídhezmos*
bank	η τράπεζα	*i trápeza*
bank card	η τραπεζική κάρτα	*i trapezikí kárta*
bank (river)	η όχθη	*i óchthi*
bar (café)	το μπαρ	*to bar*
bar (drink's cabinet)	το μπαρ	*to bar*
barbecue	το μπαρμπεκιού	*to barbekyóo*
barber	ο κουρέας	*o kooréas*
basketball	το μπάσκετ	*to básket*
bath/swim	το μπάνιο	*to bányo*
bath foam	το αφρόλουτρο μπάνιου	*to afrólootro bányoo*
bath	το μπάνιο	*to bányo*
bath towel	η πετσέτα	*i petséta*
bathing cap	η σκούφια του μπάνιου	*i skóofya too bányoo*
bathing-hut	η καμπίνα	*i kabína*
battery	η μπαταρία	*i bataría*
beach	η πλαζ	*i plaz*
beans	τα φασόλια	*ta fasólya*
beautiful	όμορφος	*ómorfos*
beauty parlour	το ινστιτούτο καλλονής	*to institóoto kalonís*
bed	το κρεβάτι	*to kreváti*
bee	η μέλισσα	*i mélissa*
beef	το βοδινό κρέας	*to vodhinó kréas*
beer	η μπύρα	*i bíra*
beetroot	το παντζάρι	*to padzári*
begin	αρχίζω	*archízo*

beginner	ο αρχάριος	o archáryos
behind	πίσω από	píso apó
belly	η κοιλιά	i kilyá
belly ache	ο κοιλόπονος	o kilóponos
beloved	αγαπημένος	aghapiménos
belt	η ζώνη	i zóni
bicarbonate of soda	η σόδα	i sódha
bicycle	το ποδήλατο	to podhílato
bicycle pump	η τρόμπα	i trómba
big	μεγάλος	meghálos
bikini	το μπικίνι	to bikíni
bill	ο λογαριασμός	o loghariazmós
billiards	το μπιλιάρδο	to bilyárdho
biro	το στυλό	to stiló
birthday	τα γενέθλια	ta yenéthlia
birthday (it's my)	έχω γενέθλια	écho yenéthlia
biscuits	τα μπισκότα	ta biskóta
bite (verb)	δαγκώνω	dhangóno
bitter (adj.)	πικρός	pikrós
black	μαύρος	mávros
black bread	το μαύρο ψωμί	to mávro psomí
bland	άνοστος	ánostos
blanket	η κουβέρτα	i koovérta
bleach	ξανθαίνω	xanthéno
blister	η φουσκάλα	i fooskála
block of flats	η πολυκατοικία	i polikatikía
blond	ξανθός	xanthós
blood	το αίμα	to éma
blood pressure	η αρτηριακή πίεση	i artiriakí píesi
blouse	η μπλούζα	i blóoza
blow-dry hair	στεγνώνω τα μαλλιά	steghnóno ta malyá
blue	μπλε	ble
boat	το καράβι	to karávi
body lotion	η λοσιόν	i losyón
body	το σώμα	to sóma
boiled	βρασμένος	vrazménos

bone	το κόκαλο	*to kókalo*
bonnet	το καπό	*to kapó*
book	το βιβλίο	*to vivlío*
book (verb)	κλείνω	*klíno*
bookshop	το βιβλιοπωλείο	*to vivliopolío*
booked	κρατημένος	*kratiménos*
borders (of country)	τα σύνορα	*ta sínora*
bored, I am	βαριέμαι	*varyéme*
boring	πληκτικός	*pliktikós*
born	γεννημένος	*yeniménos*
borrow	δανείζομαι	*dhanízome*
boss	το αφεντικό	*to afendikó*
botanical gardens	ο βοτανικός κήπος	*o votanikós kípos*
both	και οι δύο/και τα δύο	*ke i dhío/ke ta dhío*
bothers me	μ' ενοχλεί	*menochlí*
bottle	το μπουκάλι	*to bookáli*
box (theatre)	το θεωρείο	*to theorío*
box	το κουτί	*to kootí*
boy	το αγόρι	*to aghóri*
bra	το σουτιέν	*to sootyén*
bracelet	το βραχιόλι	*to vrahyóli*
braised	βρασμένος	*vrazménos*
brake	το φρένο	*to fréno*
brake fluid	το υγρό φρένου	*to ighró frénoo*
brake oil	το λάδι φρένου	*to ládhi frénoo*
brandy	το κονιάκ	*to konyák*
bread	το ψωμί	*to psomí*
bread-roll	το ψωμάκι	*to psomáki*
break	σπάζω	*spázo*
breakfast	το πρωινό	*to proinó*
breast	το στήθος	*to stíthos*
bridge	η γέφυρα	*i yéfira*
briefs	το σλιπάκι	*to slipáki*
bring	φέρνω	*férno*
brochure	το φυλλάδιο	*to filádhyo*
broken	σπασμένος, χαλασμένος	*spazménos, chalazménos*

broth	το ζουμί	*to zoomí*
brother	ο αδερφός	*o adherfós*
brown	καστανός	*kastanós*
brush	η βούρτσα	*i vóortsa*
Brussels sprouts	λαχανάκια Βρυξελλών	*lachanákya vrixelón*
bucket	ο κουβάς	*o koovás*
bugs	τα ζωύφια	*ta zoífya*
building	το κτίριο	*to ktíryo*
buoy	η σημαδούρα	*i simadhóora*
bureau de change	το γραφείο συναλλάγματος	*to ghrafío sinalághmatos*
burglary	η διάρρηξη	*i dhiárixi*
burn	το έγκαυμα	*to éngkavma*
burn (verb)	καίω	*kéo*
burnt	καμένος	*kaménos*
bus stop	η στάση	*i stási*
bus station	ο σταθμός λεωφορείων	*o stathmós leoforíon*
bus	το λεωφορείο	*to leoforío*
business class	μπιζνεσκλάς	*biznesklás*
business trip	η περιοδεία	*i perodhía*
butane gas	το υγραέριο	*to ighraério*
butcher	ο χασάπης	*o chasápis*
butter	το βούτυρο	*to vóotiro*
button	το κουμπί	*to koobí*
buy	αγοράζω	*aghorázo*
by phone	τηλεφωνικώς	*tilefonikós*
by air	αεροπορικώς	*aeroporikós*

C

cabbage	το λάχανο	*to láchano*
cabin	η καμπίνα	*i kabína*
café	το καφενείο	*to kafenío*
cake	η πάστα, η τούρτα	*i pásta, i tóorta*

call (phone)	τηλεφωνώ	*tilefonó*
camera	η φωτογραφική μηχανή	*i fotoghrafikí michaní*
camp (verb)	κατασκηνώνω	*kataskinóno*
camp site	το κάμπινγκ	*to kámping*
camping van	το κάμπερ	*to kámper*
camping permit	η άδεια κατασκήνωσης	*i ádhya kataskínosis*
camping guide	ο κατάλογος κατασκήνωσης	*o katáloghos kataskínosis*
camping	το κάμπιγκ	*to kámping*
camping shop	το μαγαζί του κάμπιγκ	*to maghazí too kámping*
cancel	ακυρώνω	*akiróno*
candle	το κερί	*to kerí*
canoe	το κανό	*to kanó*
canoe (verb)	κάνω κανό	*káno kanó*
car trouble	η βλάβη	*i vlávi*
car	το αυτοκίνητο	*to aftokínito*
car papers	τα χαρτιά του αυτοκινήτου	*ta chartyá too aftokinítoo*
car park/parking space	το πάρκιγκ	*to párking*
car-deck	το κατάστρωμα για τα αυτοκίνητα	*to katástroma ya ta aftokínita*
carafe	η καράφα	*i karáfa*
caravan	το τροχόσπιτο	*to trochóspito*
cardigan	η ζακέτα	*i zakéta*
careful	προσεχτικός	*prosechtikós*
carriage (of train)	το βαγόνι	*to vaghóni*
carrot	το καρότο	*to karóto*
carton	η κούτα	*i kóota*
cash desk	το ταμείο	*to tamío*
casino	το καζίνο	*to kazíno*
cassette/cartridge	η κασέτα	*i kaséta*
castle	το κάστρο	*o kástro*
cat	η γάτα	*i gháta*

catalogue	ο κατάλογος	o katáloghos
cathedral	η μητρόπολη	i mitrópoli
cauliflower	το κουνουπίδι	to koonoopídhi
cave	η σπηλιά	i spilyá
celebrate	γιορτάζω	yortázo
celebration	η γιορτή	i yortí
cemetery	το νεκροταφείο	to nekrotafío
centimetre	ο πόντος	o póndos
centre	το κέντρο	to kéndro
chain	η αλυσίδα	i alisídha
chair	η καρέκλα	i karékla
chalet area	ο χώρος με μπάγκαλοου	o chóros me bángaló-óo
chambermaid	η καμαριέρα	i kamaryéra
champagne	η σαμπάνια	i sampánya
change (verb)	αλλάζω	alázo
change the oil	αλλάζω τα λάδια	alázo ta ládhya
change (small)	τα ψιλά	ta psilá
change (baby's nappy)	καθαρίζω	katharízo
chapel	το εξωκλήσι	to exoklísi
charter flight	η πτήση τσάρτερ	i ptísi-tsárter
chat up someone	ψωνίζω κάποιον	psonízo kápyon
cheap	φτηνός	ftinós
check (verb)	ελέγχω	eléncho
check in	τσεκάρω	tsekáro
cheers	στην υγειά σας	stiniyásas
cheese	το τυρί	to tirí
chemist's	το φαρμακείο	to farmakío
cheque	η επιταγή	i epitayí
cherries	τα κεράσια	ta kerásya
chess	το σκάκι	to skáki
chewing gum	η τσίχλα/η μαστίχα	i tsíchla/i mastícha
chicken	το κοτόπουλο	to kotópoolo
chicory	τα ραδίκια	ta radhíkia
child seat (in car)	το παιδικό κάθισμα	to pedhikó káthizma
child	το παιδί	to pedhí

child seat (on bicycle)	η παιδική σέλα	i pedhikí séla
chin	το πηγούνι	to pighóoni
chips	πατάτες τηγανιτές	patátes tighanités
chocolate	η σοκολάτα	i sokoláta
choose	διαλέγω	dhialégho
christian name	το (μικρό) όνομα	to (mikró) ónoma
church	η εκκλησία	i eklisía
church service	η θεία λειτουργία	i thía litooryía
cigar	το πούρο	to póoro
cigarette paper	το τσιγαρόχαρτο	to tsigharócharto
cigarette	το τσιγάρο	to tsigháro
ciné-camera	η κινηματογραφική μηχανή	i kinimatoghrafikí michaní
circle	ο κύκλος	o kíklos
circus	το τσίρκο	to tsírko
city	η πόλη	i póli
classical concert	η κλασσική συναυλία	i klasikí sinavlía
clean (verb)	καθαρίζω	katharízo
clean	καθαρός	katharós
clear (adj.)	σαφής	safís
clearance sale	το ξεπούλημα	to xepóolima
closed off	κλειστός	klistós
closed	κλειστός	klistós
clothes peg	το μανταλάκι	to mandaláki
clothes	τα ρούχα	ta róocha
clothes hanger	η κρεμάστρα	i kremástra
coach	το πούλμαν	to póolman
coat	το παλτό	to paltó
cobbler	ο τσαγκάρης	o tsangáris
cockroach	η κατσαρίδα	i katsarídha
cod (dried)	ο μπακαλιάρος	o bakalyáros
coffee	ο καφές	o kafés
cold (disease)	το κρυολόγημα	to kriolóyima
cold	κρύος	kríos
cold meats	τα αλλαντικά	ta alandiká
collarbone	το κλειδοκόκαλο	to klidhokókalo

colleague	ο συνάδερφος	o sinádherfos
collision	η σύγκρουση	i síngroosi
cologne	η κολόνια	i kolónya
colour television	η έγχρωμη τηλεόραση	i éngchromi tileórasi
colour	το χρώμα	to chróma
coloured pencils	τα κραγιόνια	ta krayóny
comb	το χτένι	to chténi
come	έρχομαι	érchome
come back	ξαναέρχομαι	xanaérchome
compact disc	το κόμπακτ-ντισκ	to kómpakt-disk
compartment	το κουπέ	to koopé
complaint	το παράπονο	to parápono
complaints book	το βιβλίο παραπόνων	to vivlío parapónon
completely	τελείως	telíos
compliment	το κομπλιμέντο	to kompliméndo
compulsory	υποχρεωτικός	ipochreotikós
concert hall	η αίθουσα συναυλιών	i éthoosa sinavlyón
concert	η συναυλία	i sinavlía
concussion	η διάσειση εγκεφάλου	i dhiásisi engkefáloo
condom	το προφυλακτικό	to profilaktikó
confectioner	ο ζαχαροπλάστης	o zacharoplástis
congratulate	συγχαίρω	sinchéro
connection	η ανταπόκριση	i andapókrisi
constipation	η δυσκοιλιότητα	i dhiskilyótita
consulate	το προξενείο	to proxenío
consultation	η επίσκεψη	i epískepsi
contact lens	ο φακός επαφής	o fakós epafís
contact lens solution	το υγρό για φακούς επαφής	to ighró ya fakóos epafís
contagious	κολλητικός	kolitikós
contraceptive pill	το αντισυλληπτικό χάπι	to andisiliptikó chápi
contraceptive	το αντισυλληπτικό	to andisiliptikó
cook	ο μάγειρας	o máyiras

cook (verb)	μαγειρεύω	*mayirévo*
copper/bronze	χάλκινος	*chálkinos*
copy	το αντίγραφο	*to andíghrafo*
corkscrew	το τιρμπουσόν	*to tirbooshón*
corner	η γωνιά	*i ghonyá*
cornflower	το κορν φλάουερ	*to kornfláwer*
correct	σωστός	*sostós*
correspond	αλληλογραφώ	*aliloghrafó*
corridor	ο διάδρομος	*o dhiádhromos*
cot	το παιδικό κρεβάτι	*to pedhikó kreváti*
cotton wool	το βαμβάκι	*o vamváki*
cotton	το βαμβάκι	*to vamváki*
cough syrup	το σιρόπι για το βήχα	*to sirópi ya to vícha*
cough	ο βήχας	*o víchas*
counter	η θυρίδα	*i thirídha*
country	η χώρα	*i chóra*
country (dialling) code	ο αριθμός της χώρας	*o arithmós tis chóras*
countryside	η εξοχή	*i exohí*
courgette	το κολοκυθάκι	*to kolokitháki*
course of treatment	η θεραπεία	*i therapía*
cousin (female)	η ξαδέρφη	*i xadhérfi*
cousin (male)	ο ξάδερφος	*o xádherfos*
crab	ο κάβουρας	*o kávooras*
cream (ointment)	η κρέμα	*i kréma*
cream	το ανθόγαλα	*to anthóghala*
credit card	η πιστωτική κάρτα	*i pistotikí kárta*
crisps	τα τσιπς	*ta tsips*
cross the road	περνώ το δρόμο	*perno to dhrómo*
crossing	το πέρασμα	*to pérazma*
cry (verb)	κλαίω	*kléo*
cubic metre	το κυβικό μέτρο	*to kivikó métro*
cucumber	το αγγούρι	*to anghóori*
cuff links	τα μανικετόκουμπα	*ta maniketókoomba*
cup	το φλιτζάνι	*to flidzáni*
curly	σγουρός	*zghoorós*

current (water)	το ρεύμα	*to révma*
current (electricity)	το ρεύμα	*to révma*
cushion	το μαξιλαράκι	*to maxilaráki*
custard	η κρέμα	*i kréma*
customary	συνηθισμένος	*sinithizménos*
customs officer	ο τελώνης	*o telónis*
customs check	ο τελωνιακός έλεγχος	*o teloniakós élenchos*
customs	το τελωνείο	*to telonío*
cut (verb)	κόβω	*kóno*
cutlery	τα μαχαιροπήρουνα	*ta maheropíroona*
cyclist	ο ποδηλάτης	*o podhilátis*

D

damage	η βλάβη	*i vlávi*
dance (verb)	χορεύω	*chorévo*
dandruff	η πιτυρίδα	*i pitirídha*
danger	ο κίνδυνος	*o kíndhinos*
dangerous	επικίνδυνος	*epikíndhinos*
dark	σκοτεινός	*skotinós*
daughter	η κόρη	*i kóri*
day after tomorrow	μεθαύριο	*methávrio*
day	η μέρα	*i méra*
day (24 hours)	το μερόνυχτο	*to merónichto*
day before yesterday	προχτές	*prochtés*
dead	νεκρός	*nekrós*
decaffeinated	χωρίς καφεΐνη	*chorís kafeíni*
December	ο Δεκέμβριος	*o dekémvrios*
deck chair	η ξαπλώστρα, η σαιζλόνγκ	*i xaplóstra, i sezlóng*
declare (customs)	δηλώνω	*dhilóno*
deep	βαθύς	*vathís*
deep-frozen	καταψυγμένος	*katapsighménos*

deep-sea diving	η κατάδυση σε μεγάλο βάθος	*i katádhisi se meghálo váthos*
defective	ελαττωματικός	*elatomatikós*
degrees	οι βαθμοί	*i vathmí*
delay (noun)	η καθυστέρηση	*i kathistérisi*
delicious	εξαιρετικός	*exeretikós*
dentist	ο οδοντογιατρός	*o odhondoyatrós*
dentures	η μασέλα	*maséla*
deodorant	το αποσμητικό	*to apozmitikó*
department store	ο εμπορικός οίκος	*o emborikós íkos*
department	το τμήμα	*to tmíma*
departure time	η ώρα αναχώρησης	*i óra anachórisis*
departure	η αναχώρηση	*i anachórisi*
depilatory cream	το αποτριχωτικό	*to apotrichotikó*
deposit	η εγγύηση	*i engíisi*
dessert	το επιδόρπιο	*to epidhórpyo*
destination	ο προορισμός	*o pro-orizmós*
details (personal etc.)	τα στοιχεία	*ta stihía*
develop (film)	εμφανίζω	*emfanízo*
diabetic	ο διαβητικός	*o dhiavitikós*
dial	παίρνω	*pérno*
diamond	το διαμάντι	*to dhiamándi*
diarrhoea	η διάρροια	*i dhiária*
dictionary	το λεξικό	*to lexikó*
diesel oil	το (λάδι) ντήζελ	*to (ládhi) dízel*
diet	η δίαιτα	*i dhíeta*
difficulty	η δυσκολία	*i dhiskolía*
dine	δειπνώ	*dhipnó*
dining room	η τραπεζαρία	*i trapezaría*
dining-car	το βαγόνι-εστιατόριο	*to vaghóni-estiatório*
dinner jacket	το σμόκιν	*to smókin*
dinner	το δείπνο	*to dhípno*
direction	η κατεύθυνση	*i katéfthinsi*
directly	κατ' ευθείαν	*katefthían*
dirty	βρόμικος	*vrómikos*
disabled	ανάπηρος	*anápiros*

disco	η ντίσκο	i dísko
discount	η έκπτωση	i ékptosi
dish of the day	το πιάτο της ημέρας	to pyáto tis iméras
disinfectant	το απολυμαντικό	to apolimandikó
displeased, I am	μου κακοφαίνεται	moo kakofenete
distance	η απόσταση	i apóstasi
distilled water	το διυλισμένο νερό	to dhiilizméno neró
disturb	ενοχλώ	enochló
disturbance	η διατάραξη	i dhiatáraxi
dive	βουτώ	vootó
diving	η κατάδυση	i katádhisi
diving gear	τα εξαρτήματα κατάδυσης	ta exartímata katádhisis
diving board	ο βατήρας	o vatíras
divorced	χωρισμένος	chorizménos
dizzy	ζαλισμένος	zalizménos
do night duty	διανυκτερεύω	dhianikterévo
do	κάνω	káno
doctor	ο γιατρός	o yatrós
dog	ο σκύλος	o skílos
doll	η κούκλα	o kóokla
domestic (e.g. flights)	εσωτερικός	esoterikós
door	η πόρτα	i pórta
double/for two	για δύο άτομα	ya dhío átoma
down	κάτω	káto
drachma	η δραχμή	i dhrachmí
draught, there's a	κάνει ρεύμα	káni révma
dream	ονειρεύομαι	onirévome
dress	το φόρεμα	to fórema
dressing gown	η ρόμπα	i róba
dried fruit	ξηροί καρποί	xirí karpí
drink (verb)	πίνω	píno
drink	το ποτό	to potó
drinking chocolate	το γάλα με κακάο	to ghála me kakáo
drinking water	το πόσιμο νερό	to pósimo neró
drive	οδηγώ	odhighó

driver	ο οδηγός	o odhighós
driving licence	η άδεια οδηγήσεως	i ádhya odhiyíseos
drought	η ξηρασία	i xirasía
dry clean	στεγνοκαθαρίζω	steghnokatharízo
dry cleaner's	το στεγνοκαθαριστήριο	to steghnokatharistírio
dry (verb)	στεγνώνω	steghnóno
dry	ξηρός	xirós
dry shampoo	το στεγνό σαμπουάν	to steghnó sampwán
dummy	η πιπίλα	i pipíla
during the day	την ημέρα	tin iméra
during	κατά την διάρκεια	katá ti dhiarkía

E

ear, node and throat specialist	ο ωτορινολαρυγγολόγος	o otorinolaringhológhos
ear drops	οι σταγόνες για τα αυτιά	i staghónes ya ta aftyá
ear	το αυτί	to avtí
early	νωρίς	norís
earrings	τα σκουλαρίκια	ta skoolaríkya
earth	το χώμα	to chóma
earthenware	η κεραμική	i keramikí
east	η ανατολή	i anatolí
easy	εύκολος	éfkolos
eat	τρώω	tró-o
eczema	το έκζεμα	to ékzema
eel	το χέλι	to héli
egg	το αυγό	to avghó
elastic band	το λαστιχάκι	to lasticháki
electric	ηλεκτρικός	ilektrikós
electrical connection	η ηλεκτρική σύνδεση	i ilektrikí síndhesi
embassy	η πρεσβεία	i prezvía
emergency signal	το σήμα κινδύνου	to síma kindhínoo

emergency triangle	το τρίγωνο κινδύνου	to tríghono kindhínoo
emergency exit	η έξοδος κινδύνου	i éxodhos kindhínoo
emergency number	ο αριθμός του συναγερμού	o arithmós too sinayermóo
empty	άδειος	ádhyos
engaged (phone)	κατειλημμένο	katiliméno
England	η Αγγλία	i anglía
English	τα αγγλικά	ta angliká
Englishman/woman	ο Αγγλος/η Αγγλίδα	o ánglos/i anglídha
enjoy	απολαμβάνω	apolamváno
entertainment	η διασκέδαση	i dhiaskédhasi
entertainment guide (Athens only)	το Αθηνόραμα	to athinórama
entrance	η είσοδος	i ísodhos
envelope	ο φάκελος	o fákelos
environment	το περιβάλλον	to periválon
escort	η/ο συνοδός	i/o sinodhós
essentially	ουσιαστικά	oosiastiká
evening dress	η βραδινή ενδυμασία	i vradhiní endhimasía
evening	το βράδυ	to vrádhi
evening meal	το δείπνο	to dhípno
event	το γεγονός	to yeghonós
every time	κάθε φορά	káthe forá
everything	τα πάντα	ta pánda
everywhere	παντού	pandóo
examine	εξετάζω	exetázo
excavations	οι ανασκαφές	i anaskafés
excellent	υπέροχος	ipérochos
exchange (money)	αλλάζω	alázo
exchange	ανταλλάσσω	antaláso
excursion	η εκδρομή	i ekdhromí
exhibition	η έκθεση	i ékthesi
exit	η έξοδος	i éxodhos
expenses	τα έξοδα	ta éxodha
expensive	ακριβός	akrinós
explain	εξηγώ	exighó

express train	η ταχεία	*i tahía*
external	εξωτερικός	*exoterikós*
eye specialist	ο οφθαλμίατρος	*o ofthalmíatros*
eye	το μάτι	*to máti*
eyedrops	οι σταγόνες για τα μάτια	*i staghónes ya ta mátya*
eyeliner	το μολύβι για τα μάτια	*to molívi ya ta mátya*

F

face	το πρόσωπο	*to prósopo*
factory	το εργοστάσιο	*to erghostásyo*
fall	πέφτω	*péfto*
family	η οικογένεια	*i ikoyénya*
famous	ξακουστός	*xakoostós*
far away	μακριά	*makriá*
farm	το αγρόκτημα	*to aghróktima*
farmer	ο γεωργός	*o yeorghós*
fashion	η μόδα	*i módha*
father	ο πατέρας	*o patéras*
fax (verb)	στέλνω ένα φαξ	*stélno éna fax*
February	ο Φεβρουάριος	*o fevrooários*
feel like	έχω διάθεση	*écho dhiáthesi*
feel like	αισθάνομαι	*esthánome*
ferry	το φέρρυ-μπωτ	*to féribot*
festival	η γιορτή	*i yortí*
fever	ο πυρετός	*o piretós*
fill (tooth)	σφραγίζω	*sfrayízo*
fill/top up	γεμίζω	*yemízo*
fill out	συμπληρώνω	*simpliróno*
filling	το σφράγισμα	*to sfráyizma*
film	η ταινία	*i tenía*
film (camera)	το φιλμ	*to film*
filter	το φίλτρο	*to fíltro*
find	βρίσκω	*vrísko*

fine	η κλήση	i klísi
finger	το δάχτυλο	to dháchtilo
fingernail	το νύχι	to níhi
fire escape	η σκάλα πυρκαγιάς	i skála pirkayás
fire	η φωτιά	i fotyá
fire (accidental)	η πυρκαγιά	i pirkayá
fire extinguisher	ο πυροσβεστήρας	o pirosvestíras
fire brigade	η πυροσβεστική υπηρεσία	i pirosvestíki ipiresía
first aid	οι πρώτες βοήθειες	i prótes voíthyes
first class	η πρώτη θέση	i próti thési
first	πρώτος	prótos
fish (verb)	ψαρεύω	psarévo
fish	το ψάρι	to psári
fishing rod	το αγκίστρι	to angístri
fitness centre	το γυμναστήριο	to yimnastírio
fitting room	το δοκιμαστήριο	to dhokimastíryo
fix	φτιάχνω	ftyáchno
flag	η σημαία	i siméa
flash bulb	η λάμπα φλας	i lámpa flash
flash gun	το φλας	to flash
flash cubes	οι λάμπες φλας	i lámpes flash
flea market	το παλιατζίδικο	to paliatzídhiko
flight	η πτήση	i ptísi
flight number	ο αριθμός της πτήσης	o arithmós tis ptísis
flood	η πλημμύρα	i plimíra
floor	ο όροφος	o órofos
flour	το αλεύρι	to alévri
flu	η γρίπη	i ghrípi
fly	η μύγα	i mígha
fly (verb)	πετώ	petó
flyover	η οδογέφυρα	i odhoyéfira
foggy, it is	έχει ομίχλη	éhi omíchli
folding caravan	το λυόμενο τροχόσπιτο	to liómeno trochóspito
folkloristic	λαογραφικός	laoghrafikós

follow	ακολουθώ	*akoloothó*
food poisoning	η τροφική δηλητηρίαση	*i trofikí dhilitiríasi*
food	το φαγητό	*to fayitó*
food	τα τρόφιμα	*ta trófima*
foot	το πόδι	*to pódhi*
football	το ποδόσφαιρο	*to podhósfero*
football match	ο ποδοσφαιρικός αγώνας	*o podhosferikós aghónas*
for hire	ενοικιάζεται	*enikyázete*
forbidden, it is	απαγορεύεται	*apaghorévete*
forehead	το μέτωπο	*to métopo*
foreign	εξωτερικός	*exoterikós*
forget	ξεχνάω	*xechnáo*
fork	το πηρούνι	*to piróoni*
form	το έντυπο	*to éndipo*
fort	το κάστρο	*to kástro*
fountain	το συντριβάνι	*to sindriváni*
frame	ο σκελετός	*o skeletós*
free	ελεύθερος	*eléftheros*
free time	η ελεύθερη ώρα	*i eléftheri óra*
freeze	παγώνω	*paghóno*
French	τα γαλλικά	*ta ghaliká*
French bread	το ψωμί μπαστούνι	*to psomí bastóoni*
fresh	φρέσκος	*fréskos*
Friday	η Παρασκευή	*i paraskeví*
fried	τηγανητός	*tighanitós*
fried egg	το αυγό μάτι	*to avghó máti*
friend	ο φίλος	*o fílos*
friendly	ευγενικός	*evyenikós*
fringe	η φράντζα	*i frándza*
fritter	η τηγανίτα	*i tighaníta*
front, at the	μπροστά	*brostá*
frozen	καταψυγμένος	*katapsighménos*
fruit	το φρούτο	*to fróoto*
fruit juice	ο χυμός	*o chimós*
frying pan	το τηγάνι	*to tigháni*

gallery (theatre)	ο εξώστης	o exóstis
game	το παιχνίδι	to pechnídhi
garage	το γκαράζ	to garáz
garbage bag	η σακούλα σκουπιδιών	i sakóola skoopidhyón
garden	ο κήπος	o kípos
gauze	η γάζα	i gháza
gear	η ταχύτητα	i tahítita
gel	το τζελ	to dzel
gentleman	ο κύριος	o kírios
German	τα γερμανικά	ta yermaniká
get off/out	κατεβαίνω	katevéno
get lost	χάνω το δρόμο	cháno to dhrómo
gift	το δώρο	to dhóro
girl	το κορίτσι	to korítsi
girl friend	η φίλη	i fíli
giro cheque	η ταχυδρομική επιταγή	i tahidhromikí epitayí
giro card	η ταχυδρομική κάρτα	i tahidhromikí kárta
glass	το ποτήρι	to potíri
glasses (sun-, reading-)	τα γυαλιά	ta yalyá
gliding	η ανεμοπορία	i anemoporía
glove	το γάντι	to ghándi
glue	η κόλλα	i kóla
go out	βγαίνω έξω	vyéno éxo
go back	γυρίζω	yirízo
go	πηγαίνω	piyéno
goat's cheese	το κατσικίσιο τυρί	to katsikísyo tirí
gold	το χρυσάφι	to chrisáfi
gold-plated	επίχρυσος	epíchrisos
golf course	το γήπεδο του γκολφ	to yípedho too golf

golf	το γκολφ	to golf
good afternoon	καλημέρα	kaliméra
good night	καληνύχτα	kaliníchta
good day	καλημέρα	kaliméra
good luck	η ευτυχία	i eftihía
good morning	καλημέρα	kaliméra
good evening	καλησπέρα	kalispéra
goodbye	γειά σας, γειά σου	yásas, yásoo
goodbye (farewell)	ο αποχαιρετισμός	o apoheretizmós
gram	το γραμμάριο	to ghramário
grandchild	το εγγόνι	to engóni
grandfather	ο παππούς	o papóos
grandmother	η γιαγιά	i yayá
grape juice	ο χυμός σταφυλιών	o chimós stafilyón
grapefruit	η φράπα	i frápa
grapes	τα σταφύλια	ta stafílya
gratis	δωρεάν	dhoreán
grave	ο τάφος	o táfos
grease	τα λίπη	ta lípi
green card	η πράσινη κάρτα	i prásini kárta
green	πράσινος	prásinos
greet	χαιρετίζω	heretízo
greetings	τα χαιρετίσματα	ta heretízmata
grey	γκρίζος	grízos
grill (verb)	ψήνω στα κάρβουνα	psíno sta kárvoona
grilled	ψητός	psitós
grocer	ο μπακάλης	o bakális
ground	το χώμα	to chóma
group	το γκρουπ	to groop
guest house	η πανσιόν	i pansyón
guide (person)	ο ξεναγός	o xenaghós
guidebook	ο οδηγός	o odhighós
guided tour	η ξενάγηση	i xenáyisi
guilt	η ενοχή	i enohí
gynaecologist	ο γυναικολόγος	o yinekológhos

hair cream	το βερνίκι για τα μαλλιά	to verníki ya ta malyá
hair	τα μαλλιά	ta malyá
hairdresser	ο κομμωτής	o komotís
hairpins	οι καρφίτσες	i karfítses
half kilo	το μισό κιλό	to misó kiló
half	μισό	misó
half-full	μισογεμάτος	misoyemátos
ham	το ζαμπόν	to zambón
hammer	το σφυρί	to sfirí
hand brake	το χειρόφρενο	to hirófreno
hand	το χέρι	to héri
handbag	η τσάντα	i tsánda
handmade	χειροποίητος	hiropíitos
handicraft	η χειροτεχνία	i hirotechnía
handkerchief	το μαντήλι	to mandíli
handsome	ωραίος	oréos
happy	χαρούμενος	charóomenos
harbour	το λιμάνι	to limáni
hard	σκληρός	sklirós
hat	το καπέλο	to kapélo
hayfever	ο αλλεργικός κατάρρους	o aleryikós katároos
hazelnut	το φουντούκι	to foondóoki
head	το κεφάλι	to kefáli
headache	ο πονοκέφαλος	o ponokéfalos
health	η υγεία	i iyía
heart patient	ο καρδιακός	o kardhiakós
heart	η καρδιά	i kardhyá
heater	το καλοριφέρ	to kalorifér
heavy	βαρύς	varís
hedge	ο φράχτης	o fráchtis
heel (of shoe)	το τακούνι	to takóoni
hello	γειά σας, γειά σου	yásas, yásoo

helmet	το κράνος	*to kráno*
help	η βοήθεια	*i voíthya*
help (verb)	βοηθώ	*voithó*
herb tea	το τσάι του βουνού	*to tsái too voonóo*
herbs	τα μπαχαρικά	*ta bachariká*
here	εδώ	*edhó*
herring (smoked)	η ρέγγα	*i rénga*
high tide	η παλίρροια	*i palíria*
high chair	η παιδική καρέκλα	*i pedhikí karékla*
high	ψηλός	*psilós*
hiking	η πεζοπορία	*i pezoporía*
hip	ο γοφός	*o ghofós*
hire	νοικιάζω	*nikyázo*
hitch-hiking	το ωτοστόπ	*to otostóp*
hobby	το χόμπυ	*to chóbi*
hold-up	η επίθεση	*i epíthesi*
holiday cottage	το εξοχικό σπιτάκι	*to exohikó spitáki*
holiday (public)	η γιορτή	*i yortí*
holidays	οι διακοπές	*i dhiakopés*
homesickness	η νοσταλγία	*i nostalyía*
honest	τίμιος	*tímyos*
honey	το μέλι	*to méli*
horizontal	οριζόντιος	*orizóndios*
horrible	απαίσιος	*apésios*
horse	το άλογο	*to álogho*
hospital	το νοσοκομείο	*to nosokomío*
hospitality	η φιλοξενία	*i filoxenía*
hot	ζεστός	*zestós*
hot (spicy)	πικάντικος	*pikándikos*
hot spring	η θερμική πηγή	*i thermikí piyí*
hot-water bottle	η θερμοφόρα	*i thermofóra*
hotel	το ξενοδοχείο	*to xenodhohío*
hour	η ώρα	*i óra*
house	το σπίτι	*to spíti*
household items	τα οικιακά αντικείμενα	*ta ikyaká andikímena*
housewife	η νοικοκυρά	*i nikokirá*

how	πώς;	*pos?*
how far?	πόσο μακρυά;	*póso makriá?*
how much?	πόσο;	*póso?*
how long?	πόσο καιρό;	*póso kyeró?*
hundred grams	εκατό γραμμάρια	*ekató ghramárya*
hunger	η πείνα	*i pína*
hurricane	ο τυφώνας	*o tifónas*
hurry (be in a)	βιάζομαι	*vyázome*
husband	ο σύζυγος	*o sízighos*
hut	η καλύβα	*i kalíva*
hyperventilation	η υπεροξυγόνωση	*i iperoxighónosi*

I

ice	ο πάγος	*o pághos*
ice-cream	το παγωτό	*to paghotó*
ice-cubes	τα παγάκια	*ta paghákya*
idea	η ιδέα	*i idhéa*
identification	η ταυτότητα	*i taftótita*
identify	αναγνωρίζω	*anaghnorízo*
ignition key	το κλειδί επαφής	*to klidhí epafís*
illness	η αρρώστια	*i aróstia*
illustrated book	το εικονογραφημένο βιβλίο	*to ikonoghrafiméno vivlío*
imagine	φαντάζομαι	*fandázome*
immediately	αμέσως	*amésos*
import duty	τα εισαγωγικά τέλη	*ta isaghoyiká téli*
impossible	αδύνατος	*adhínatos*
in front of	μπροστά σε	*brostá se*
in	σε	*se*
in front	μπροστά	*brostá*
in safe-keeping	σε φύλαξη	*se fílaxi*
in the evening/at night	το βράδυ	*to vrádhi*
included (it is)	συμπεριλαμβάνεται	*simperilamvánete*
indicate	δείχνω	*dhíchno*

indicator	το φλας	to flash
indigestion	η δυσπεψία	i dhispepsía
inflammation	η φλεγμονή	i fleghmoní
information office	το γραφείο πληροφοριών	to ghrafío pliroforyón
information	οι πληροφορίες	i plirofóries
information (piece of)	η πληροφορία	i plirofória
injection	η ένεση	i énesi
injured	λαβωμένος	lavoménos
inner tube	το εσωτερικό λάστιχο	to esoterikó lásticho
innocent	αθώος	athóos
insect	το έντομο	to éndomo
insect repellent	λάδι για τα κουνούπια	ládhi ya ta koonóopya
insect bite	το τσίμπημα εντόμου	to tsímbima endómoo
inside	μέσα	mésa
insole	η εσωτερική σόλα	i esoterikí sóla
instructions for use	οι οδηγίες χρήσεως	i odhiyíes chríseos
insurance	η ασφάλεια	i asfálya
internal	εσωτερικός	esoterikós
international	διεθνής	dhiethnís
interpreter	ο διερμηνέας	o dhierminéas
intersection	η διασταύρωση	i dhiastávrosi
interval	το διάλειμμα	to dhiálima
introduce	γνωρίζω	ghnorízo
introduce myself	συστήνομαι	sistínome
invite	προσακλώ	proskaló
iodine	το ιώδιο	to iódhio
Ireland	η Ιρλανδία	i irlandhía
Irishman	ο Ιρλανδός/η Ιρλανδέζα	o irlandhós/i irlandhéza
iron	το σίδερο	to sídhero
iron (verb)	σιδερώνω	sidheróno
ironing board	η σανίδα σιδερώματος	i sanídha sidherómatos

island	το νησί	to nisí
Italian	τα ιταλικά	ta italiká
itch	η φαγούρα	i faghóora
item of clothing	το ρούχο	to róocho
itinerary	το δρομολόγιο	to dhromolóyo

J

jack	ο γρύλλος	o ghrílos
jacket	η ζακέτα	i zakéta
jam	η μαρμελάδα	i marmeládha
January	ο Ιανουάριος	o yanooários
jaw	το σαγόνι	to saghóni
jellyfish	η μέδουσα	i médhoosa
jeweller	ο χρυσοχόος	o chrisochóos
jewellery	τα κοσμήματα	ta kozmímata
jog (running)	το τρέξιμο	to tréximo
joke	το αστείο	to astío
juice	ο χυμός	o himós
July	ο Ιούλιος	o yóolios
jump leads	το καλώδιο εκκίνησης	to kalódhio ekkínisis
jumper	το πουλόβερ	o poolóver
June	ο Ιούνιος	o yóonios
junk shop	το παλιατζίδικο	to paliadzídhiko

K

kettle	ο βραστήρας	o vrastíras
key	το κλειδί	to klidhí
kilo	το κιλό	to kiló
kilometer	το χιλιόμετρο	to hilyómetro
king	ο βασιλιάς	o vasilyás
kiosk	το περίπτερο	to períptero
kiss	το φιλί	to filí

kiss (verb)	φιλώ	*filó*
kitchen	η κουζίνα	*i koozína*
knee	το γόνατο	*to ghónato*
knife	το μαχαίρι	*to machéri*
knit	πλέκω	*pléko*
know (person)	γνωρίζω	*ghnorízo*
know	ξέρω	*xéro*

L

lace	η δαντέλα	*i dhantéla*
ladies' toilet	η τουαλέτα γυναικών	*i twaléta yinekón*
lady	η κυρία	*i kiría*
lake	η λίμνη	*i límni*
lamb chop	το παϊδάκι	*to paidháki*
lamp	η λάμπα	*i lámpa*
land (verb)	προσγειώνομαι	*prosyiónome*
lane (on road)	η λωρίδα	*i lorídha*
language	η γλώσσα	*i ghlóssa*
lard	το λαρδί	*to lardhí*
large	μεγάλος	*meghálos*
last	τελευταίος	*teleftéos*
last night	χθες τη νύχτα	*chthes ti níchta*
late	αργά	*arghá*
latest, at the	το αργότερο	*to arghótero*
laugh	γελάω	*yeláo*
launderette	το πλυντήριο	*to plindírio*
lavatory	η τουαλέτα	*i twaléta*
law (studies)	τα νομικά	*ta nomiká*
lawyer	ο δικηγόρος	*o dhikighóros*
laxative	το καθαρτικό	*to kathartikó*
leaking	τρυπημένος	*tripiménos*
leather	το δέρμα	*to dhérma*
leather goods	τα δερμάτινα είδη	*ta dhermátina ídhi*
leave (verb)	φεύγω	*févgho*
leek	το πράσο	*to práso*

left luggage locker	η θυρίδα αποσκευών	i thirídha aposkevón
left (adj.)	αριστερός	aristerós
left (on/to the)	αριστερά	aristerá
left luggage office	ο χώρος αποσκευών	o chóros aposkevón
leg	το πόδι	to pódhi
lemon	το λεμόνι	to lemóni
lemonade	η λεμονάδα	i lemonádha
lens	ο φακός	o fakós
lentils	οι φακές	i fakés
less	λιγότερο	lighótero
lesson	το μάθημα	to máthima
letter	το γράμμα	to ghrámma
lettuce	το μαρούλι	to maróoli
level crossing	η διάβαση	i dhiávasi
library	η βιβλιοθήκη	i vivliothíki
lie down	ξαπλώνομαι	xaplónome
lie	λέω ψέματα	léo psémata
lifeguard	ο ακτοφύλακας	o aktofílakas
lift	το ασανσέρ/ο	to asansér/o
	ανελκυστήρας	anelkistíras
light (colour)	ανοιχτός	anichtós
light (weight)	ελαφρός	elafrós
light	το φως	to fos
lighter	ο αναπτήρας	o anaptíras
lighthouse	ο φάρος	o fáros
lightning	ο κεραυνός	o keravnós
like, I	μ' αρέσει	marési
line	η γραμμή	i ghramí
linen	το λινό	to linó
lipstick	το κραγιόν	to krayón
listen	ακούω	akóo-o
literature	η λογοτεχνία	i loghotechnía
litre	το λίτρο	to lítro
little	λίγος	líghos
live	μένω	méno
live together	συγκατοικώ	singkatikó
lively	ζωηρός	zoirós

lobster	ο αστακός	*o astakós*
local	τοπικός	*topikós*
local (dialling) code	ο κωδικός της πόλης	*o kodhikós tis pólis*
lock	η κλειδαριά	*i klidharyá*
long (tall)	μακρύς	*makrís*
long (of time)	πολύς	*polís*
look	κοιτάζω	*kitázo*
lorry	το καμιόνι	*to kamyóni*
lose	χάνω	*cháno*
loss	ο χαμός, η απώλεια	*o chamós, i apólya*
lost property	τα ευρεθέντα αντικείμενα	*ta evrethénda andikímena*
lost	χαμένος	*chaménos*
lotion	η λοσιόν	*i losión*
loud	δυνατά	*dhinatá*
love with, be in	είμαι ερωτευμένος με	*íme erotevménos me*
love (verb)	αγαπώ	*aghapó*
love	η αγάπη	*i agápi*
low tide	η άμπωτη	*i ámboti*
low	χαμηλός	*chamilós*
luggage	οι αποσκευές	*i aposkevés*
luggage locker	η θυρίδα αποσκευών	*i thirídha aposkevón*
lunch	το γεύμα	*to yévma*
lungs	οι πνεύμονες	*i pnévmones*

M

machine	η μηχανή	*i michaní*
magazine	το περιοδικό	*to periodhikó*
mail	το ταχυδρομείο	*to tahidhromío*
main road	ο μεγάλος δρόμος	*o meghálos dhrómos*
main post-office	το κεντρικό ταχυδρομείο	*to kendrikó tahidhromío*
make an appointment/a date	δίνω ραντεβού	*dhíno randevóo*

make love	κάνω έρωτα	*káno érota*
man	ο άντρας	*o ándras*
manager	ο διαχειριστής	*o dhiahiristís*
mandarin (orange)	το μανταρίνι	*to mandaríni*
manicure	το μανικιούρ	*to manikyóor*
map	ο χάρτης	*o chártis*
marble	το μάρμαρο	*to mármaro*
March	ο Μάρτιος	*o mártios*
margarine	η μαργαρίνη	*i margharíni*
marina	η μαρίνα	*i marína*
market	η αγορά	*i aghorá*
marriage	ο γάμος	*o ghámos*
married	παντρεμένος	*pandreménos*
married, get	παντρεύομαι	*pandrévome*
massage	το μασάζ	*to masáz*
matt (photographs)	ματ	*mat*
match	ο αγώνας	*o aghónas*
matches	τα σπίρτα	*ta spírta*
May	Ο Μάιος	*o máios*
maybe	ίσως	*ísos*
mayonnaise	η μαγιονέζα	*i mayionéza*
mayor	ο δήμαρχος	*o dhímarchos*
meal	το γεύμα	*to yévma*
mean	σημαίνω	*siméno*
means	το μέσο	*to méso*
meat	το κρέας	*to kréas*
medication	το φάρμακο	*to fármako*
medicine (liquid)	το σιρόπι	*to sirópi*
medicine	το φάρμακο	*to fármako*
melon	το πεπόνι	*to pepóni*
membership	η ιδιότητα του μέλους	*i idhiótita too méloos*
menstruate	έχω περίοδο	*écho períodho*
menstruation	η περίοδος	*i períodhos*
menu of the day	το μενού της ημέρας	*to menóo tis iméras*
menu	το μενού, ο κατάλογος	*to menóo o katáloghos*

message	η παραγγελία	i parangelía
metal	το μέταλλο	to métalo
meter	ο μετρητής	o metritís
metre	το μέτρο	to métro
middle, in the	στη μέση	sti mési
migraine	η ημικρανία	i imikranía
mild (tobacco)	ελαφρός	elafrós
milk	το γάλα	to ghála
milk products	τα προϊόντα γάλακτος	ta proiónda ghálaktos
milk for coffee	το γάλα για τον καφέ	to ghála ya tongafé
millimetre	το χιλιοστόμετρο	to hilyostómetro
milometer	το κοντέρ	to kontér
mince	ο κιμάς	o kimás
mineral water	το μεταλλικό νερό	to metalikó neró
minute	το λεπτό	to leptó
mirror	ο καθρέφτης	o kathréftis
miss (I)	μου λείπει	moo lípi
missing (is)	λείπει	lípi
missing (person)	χαμένος	chaménos
mist	η ομίχλη	i omíchli
mistake	το λάθος	to láthos
mistaken, be	κάνω λάθος	káno láthos
Mister	ο κύριος	o kírios
misunderstanding	η παρεξήγηση	i parexíyisi
mocha	η μόκα	i móka
modern art	η σύγχρονη τέχνη	i síngchroni téchni
molar	ο τραπεζίτης	o trapezítis
moment	η στιγμή	i stighmí
monastery	το μοναστήρι	to monastíri
Monday	η Δευτέρα	i deftéra
money	τα λεφτά	ta leftá
month	ο μήνας	o mínas
moped	το μηχανάκι	to michanáki
morning (in the)	το πρωί	to proí
morning-after-pill	το μόρνιγκ-άφτερ-χάπι	to mórning-áfter-chápi

mosque	το τζαμί	to dzamí
mosquito	το κουνούπι	to koonóopi
motel	το μοτέλ	to motél
mother	η μητέρα	i mitéra
motorboat	η βενζινάκατος	i venzinákatos
motorcycle	η μοτοσικλέτα	i motosikléta
motorway	η εθνική οδός	i ethnikí odhós
mountain boots	τα παπούτσια ορειβασίας	ta papóotsya orivasías
mountain hut	το ορειβατικό καταφύγιο	to orivatikó katafíyo
mountain	το βουνό	to voonó
mountaineering	η ορειβασία	i orivasía
mouse	το ποντίκι	to pondíki
mouth	το στόμα	to stóma
move back	κάνω πίσω	káno píso
Mrs	η κυρία	i kiría
much/many	πολύς	polís
multi-storey carpark	το σκεπασμένο πάρκιγκ	to skepazméno párking
muscle spasm	ο σπασμός	o spazmós
muscle	ο μυς	o mis
museum	το μουσείο	to moosío
mushrooms	τα μανιτάρια	ta manitárya
music	η μουσική	i moosikí
musical (show)	η μουσική κωμωδία	i moosikí komodhía
mussels	τα μύδια	ta mídhya
mustard	η μουστάρδα	i moostárdha
my name is	λέγομαι/με λένε	léghome/me léne

N

nail varnish remover	το ασετόν	to asetón
nail varnish	το βερνίκι νυχιών	to verníki nihyón
nail scissors	το ψαλιδάκι για τα νύχια	to psalidháki yia ta níhya

nail	το καρφί	to karfí
nail file	η λίμα για τα νύχια	i líma ya ta níhya
naked	γυμνός	yimnós
napkin	η πετσέτα	i petséta
nappy	η πάνα	i pána
National Health Office	το ταμείο ασθενείας	to tamío asthenías
nationality	η υπηκοότητα	i ipikoótita
naturally	φυσικά	fisiká
nature	η φύση	i físi
nauseous, I feel	ανακατεύεται το στομάχι μου	anakatévete to stomáchi moo
near	κοντά	kondá
near to	κοντά σε	kondá se
necessary	αναγκαίος	anangéos
neck	ο σβέρκος	o zvérkos
nectarine	το νεκταρίνι	to nektaríni
needle	το βελόνι	to velóni
negative	το αρνητικό	to arnitikó
neighbours	οι γείτονες	i yítones
nephew	ο ανιψιός	o anipsyós
never	ποτέ	poté
new	καινούριος	kenóorios
news	τα νέα	ta néa
newspaper	η εφημερίδα	i efimerídha
next	επόμενος	epómenos
next to	δίπλα σε	dhípla se
nice-looking	ωραίος	oréos
nice (people, things and events)	καλός	kalós
niece	η ανιψιά	i anipsyá
night life	η νυχτερινή ζωή	i nichteriní zoí
night	το βράδυ	to vrádhi
night	η νύχτα	i níchta
nightclub	το νυχτερινό κέντρο	to nichterinó kéndro
no	όχι	óhi

no overtaking	απαγορεύεται η προσπέραση	apaghorévete i prospérasi
no one	κανένας	kanénas
noise	ο θόρυβος	o thórivos
non-stop	χωρίς σταθμούς	chorís stathmóos
nonsense	οι σαχλαμάρες	i sachlamáres
normal	κανονικός	kanonikós
north	ο βοριάς	o voryás
nose	η μύτη	i míti
nose-drops	οι σταγόνες για τη μύτη	i staghónes ya ti míti
nosebleed	η ρινορραγία	i rinorayía
notepaper	το χαρτί αλληλογραφίας	to chartí aliloghrafías
nothing	τίποτα	típota
November	ο Νοέμβριος	o noémvrios
nowhere	πουθενά	poothená
nude	γυμνός	yimnós
nudism	ο γυμνισμός	o yimnizmós
nudist beach	η πλαζ για γυμνιστές	i plaz ya yimnistés
number plate	ο αριθμός κυκλοφορίας	o arithmós kikloforías
number	ο αριθμός	o arithmós
nurse	η νοσοκόμα	i nosokóma
nutmeg	το μοσχοκάρυδο	to moschokáridho

O

object	το αντικείμενο	to andikímeno
occupied/taken	κατειλημμένος	katiliménos
October	ο Οκτώβριος	o októvrios
off (of meat)	χαλασμένος	chalazménos
off-licence	η κάβα	i káva
offer	προσφέρω	prosféro
office	το γραφείο	to ghrafío
oil	το λάδι	to ládhi

oil level	η στάθμη του λαδιού	*i státhmi too ladhyóo*
ointment for burns	η αλοιφή για εγκαύματα	*i alifí ya engkávmata*
ointment	η αλοιφή	*i alifí*
OK	εντάξει	*endáxi*
old	μεγάλος	*meghálos*
olive oil	το ελαιόλαδο	*to eleóladho*
olives	οι ελιές	*i elyés*
omelette	η ομελέτα	*i omeléta*
on	πάνω σε	*páno se*
onboard ship	στο πλοίο	*sto plío*
once	μια φορά	*mya forá*
one-way traffic	μονόδρομος	*monódhromos*
onion	το κρεμμύδι	*to kremídhi*
open	ανοιχτός	*anichtós*
open (verb)	ανοίγω	*anígho*
opera	η όπερα	*i ópera*
operate	εγχειρίζω	*engchirízo*
operator (telephone)	η τηλεφωνήτρια	*i tilefonítria*
operetta	η οπερέτα	*i operéta*
opposite	απέναντι	*apénandi*
opposite to	αντίκρυ σε	*andíkri se*
optician	ο οπτικός	*o optikós*
orange	το πορτοκάλι	*to portokáli*
orange juice	ο χυμός πορτοκαλιού	*o himós portokalyóo*
orange (coloured)	πορτοκαλής	*portokalís*
order (noun, e.g. a meal)	η παραγγελία	*i parangelía*
order (verb, e.g. a meal)	παραγγέλνω	*parangélno*
others	άλλοι	*áli*
out of order	χαλασμένος	*chalazménos*
outside	έξω	*éxo*
overnight duty	η διανυκτέρευση	*i dhianiktérefsi*
overtake	προσπερνάω	*prospernáo*

packed lunch	το πακέτο του μεσημε ριανού φαγητού	to pakéto too mesimeryanóo fayitóo
page	η σελίδα	i selídha
pain	ο πόνος	o pónos
pain-killer	το παυσίπονο	to pafsípono
paint	η μπογιά	i boyá
painting (art of)	η ζωγραφική	i zoghrafikí
painting (object)	ο πίνακας	o pínakas
palace	το παλάτι	to paláti
pan	η κατσαρόλα	i katsaróla
pane of glass	το τζάμι	to dzámi
panty liner	η μικρή πετσέτα υγείας	i mikrí petséta iyías
paper	το χαρτί	to chartí
paraffin oil	το πετρέλαιο	to petréleo
parasol	η ομπρέλα	i ombréla
parcel	το δέμα	to dhéma
pardon	συγγνώμη	signómi
parents	οι γονείς	i ghonís
park (verb)	παρκάρω	parkáro
park	το πάρκο	to párko
parliament (building)	η βουλή	i voolí
parsley	ο μαϊντανός	o maidanós
partner	ο/η σύζυγος	o/i sízighos
party	το πάρτυ	to párti
passable (road or stream)	βατός	vatós
passenger	ο επιβάτης	o epivátis
passport photograph	η φωτογραφία διαβατηρίου	i fotoghrafía dhiavatiríoo
passport	το διαβατήριο	to dhiavatíryo
patient	ο ασθενής	o asthenís

pavement	το πεζοδρόμιο	*to pezodhrómio*
pay the bill	πληρώνω	*pliróno*
pay (verb)	πληρώνω	*pliróno*
pea	ο αρακάς	*o arakás*
peach	το ροδάκινο	*to rodhákino*
peanuts	τα φιστίκια	*ta fistíkya*
pear	το αχλάδι	*to achládhi*
pedestrian crossing	η διάβαση πεζών	*i dhiávasi pezón*
pedicure	το πεντικιούρ	*to pedikyóor*
pen	το στυλό	*to stiló*
pencil	το μολύβι	*to molívi*
penis	το πέος	*to péos*
pension	η σύνταξη	*i síndaxi*
pepper	το πιπέρι	*to pipéri*
pepper (vegetable)	η πιπεριά	*i piperyá*
performance	η παράσταση	*i parástasi*
perfume	το άρωμα	*to ároma*
perm (verb)	κάνω περμανάντ	*káno permanánt*
permanent wave	η περμανάντ	*i permanánt*
permit	η άδεια	*i ádhya*
person	το άτομο	*to átomo*
personal	προσωπικός	*prosopikós*
petrol	η βενζίνη	*i venzíni*
petrol (high-octane)	η σούπερ	*i sóoper*
petrol station	το βενζινάδικο	*to venzinádhiko*
pets	τα κατοικίδια ζώα	*ta katikídhia zóa*
phone number	ο αριθμός	*o arithmós*
phone (verb)	τηλεφωνώ	*tilefonó*
phone book	ο τηλεφωνικός κατάλογος	*o tilefonikós katáloghos*
phone	το τηλέφωνο	*to tiléfono*
phone box	ο τηλεφωνικός θάλαμος	*o tilefonikós thálamos*
photocopier	το φωτοτυπικό μηχάνημα	*to fototipikó michánima*
photocopy (verb)	κάνω φωτοαντίγραφο	*káno fotoandígrafo*

photocopy	το φωτοαντίγραφο	to fotoandígrafo
photograph	η φωτογραφία	i fotoghrafía
pick up	παίρνω	pérno
picnic	το πικνίκ	to pikník
pier	η προκυμαία	i prokiméa
pigeon	το περιστέρι	to peristéri
pill	το χάπι	to chápi
pillow	το μαξιλάρι	to maxilári
pillow-case	η μαξιλαροθήκη	i maxilarothíki
pin	η καρφίτσα	i karfítsa
pineapple	ο ανανάς	o ananás
pipe	η πίπα	i pípa
pipe tobacco	ο καπνός για την πίπα	o kapnós ya timbípa
pity	κρίμα	kríma
place of entertainment	το κέντρο	to kéndro
place	ο τόπος	o tópos
place of interest	το αξιοθέατο	to axiothéato
plan	το σχέδιο	to schédhyo
plant	το φυτό	to fitó
plastic bag	η σακούλα	i sakóola
plastic	πλαστικός	plastikós
plate	το πιάτο	to pyáto
platform	η πλατφόρμα, η γραμμή	i platfórma, i ghramí
play	το θεατρικό έργο	to theatrikó érgho
play (verb)	παίζω	pézo
playground	η παιδική χαρά	i pedhikí chará
playing cards	τα χαρτιά	ta chartyá
pleasant	ευχάριστος	efcháristos
please	παρακαλώ	parakaló
pleasure	η απόλαυση	i apólafsi
pleasure (it's a)	χαίρω πολύ	héro polí
pleasure, with	ευχαρίστως	efcharístos
plum	το δαμάσκηνο	to dhamáskino
pocket knife	ο σουγιάς	o sooyás

point	δείχνω	*dhíchno*
poison	το δηλητήριο	*to dhilitírio*
police court	το αυτόφωρο	*to aftóforo*
police	η αστυνομία	*i astinomía*
police station	το αστυνομικό τμήμα	*to astinomikó tmíma*
policeman	ο αστυνομικός	*o astinomikós*
pond	η λιμνούλα	*i limnóola*
pony	το πόνυ	*to póni*
pop concert	η συναυλία ποπ	*i sinavlía pop*
population	ο πληθυσμός	*o plithizmós*
pork	το χοιρινό κρέας	*to hirinó kréas*
port	το λιμάνι	*to limáni*
porter (doorman)	ο θυρωρός	*o thirorós*
porter	ο αχθοφόρος	*o achthofóros*
portion	η μερίδα	*i merídha*
post office	το ταχυδρομείο	*to tahidhromío*
post code	ο ταχυδρομικός κώδικας	*o tahidhromikós kódhikas*
post-box	το γραμματοκιβώτιο	*to ghramatokivótyo*
post-card	η καρτ-ποστάλ	*i kartpostál*
postal charges	τα ταχυδρομικά τέλη	*ta tahidhromiká téli*
postman	ο ταχυδρόμος	*o tahidhrómos*
potato	η πατάτα	*i patáta*

R

recovery service	ΕΛΠΑ	*i elpá*
refrigerator	το ψυγείο	*to psiyío*
region	η περιοχή	*i periohí*
registered	συστημένος	*sistiménos*
registration number	ο αριθμός κυκλοφορίας	*o arithmós kikloforías*
reliable	αξιόπιστος	*axiópistos*
religion	η θρησκεία	*i thriskía*
religion	η πίστη	*i písti*
rent out	νοικιάζω	*nikyázo*

repair (verb)	επιδιορθώνω	*epidhiorthóno*
repairs	η επιδιόρθωση	*i epidhiórthosi*
repeat	επαναλαμβάνω	*epanalamváno*
responsible	υπεύθυνος	*ipéfthinos*
rest	ξεκουράζομαι	*xekoorázome*
restaurant	το εστιατόριο	*to estiatório*
retired	συνταξιούχος	*sintaxióochos*
return (ticket)	μετ' επιστροφής	*metepistrofís*
reverse	κάνω όπισθεν	*káno ópisthen*
rheumatism	ο ρευματισμός	*o revmatizmós*
rice	το ρύζι	*to rízi*
riding school	η σχολή ιππασίας	*i scholí ipasías*
riding (horseback)	η ιππασία	*i ipasía*
right of way	η προτεραιότητα	*i protereótita*
right	δεξιά	*dhexyá*
right, on the	δεξιά	*dhexyá*
ripe	ώριμος	*órimos*
river	το ποτάμι	*to potámi*
road suitable for cars	ο αυτοκινητόδρομος	*o aftokinitódhromos*
roasted	ψημένος	*psiménos*
rock	ο βράχος	*o vráchos*
roof (flat)	η ταράτσα	*i tarátsa*
roof-rack	η σχάρα αυτοκινήτου	*i schára aftokinítoo*
room service	η εξυπηρέτηση δωματίου	*i exipirétisi dhomatíoo*
room number	ο αριθμός δωματίου	*o arithmós dhomatíoo*
room	το δωμάτιο	*to dhomátyo*
rope	το σκοινί	*to skiní*
rosé wine	κρασί ροζέ	*krasí rozé*
roundabout	η ροτόντα	*i rotónda*
route	η πορεία	*i poría*
rowing boat	η βάρκα	*i várka*
rubber	το λάστιχο	*to lásticho*
rucksack	το σακίδιο	*to sakídhyo*
rude	αγενής	*ayenís*

| ruins | τα ερείπια | *ta erípya* |
| run into | συναντώ | *sinandó* |

S

sad	θλιμμένος	*thliménos*
safe	ασφαλής	*asfalís*
safe (deposit box)	το χρηματοκιβώτιο	*to chrimatokivótyo*
safety pin	η παραμάνα	*i paramána*
sail	αρμενίζω	*armenízo*
sailing boat	το ιστιοφόρο	*to istiofóro*
salad oil	το λάδι	*to ládhi*
salad	η σαλάτα	*i saláta*
salami	το σαλάμι	*to salámi*
sale	το ξεπούλημα	*to xepóolima*
salt	το αλάτι	*to aláti*
same	ο ίδιος	*o ídhyos*
sandy beach	η πλαζ	*i plaz*
sanitary pad	η πετσέτα υγείας	*i petséta iyías*
sardines	οι σαρδέλες	*i sardhéles*
satisfied	πολύ ευχαριστημένος/η	*polí efcharistiménos/i*
Saturday	το Σάββατο	*to sávato*
sauce	η σάλτσα	*i sáltsa*
sauna	η σάουνα	*i sáoona*
sausage	το λουκάνικο	*to lookániko*
savoury	πικάντικος	*pikándikos*
say	λέγω	*légho*
scarf	το κασκόλ	*to kaskól*
scenic walk	η βόλτα	*i vólta*
school	το σχολείο	*to scholío*
scissors	το ψαλίδι	*to psalídhi*
scooter	η βεσπα	*i véspa*
scorpion	ο σκορπιός	*o skorpyós*
Scotland	η Σκωτία	*i skotía*

Scotsman/woman	ο Σκωτσέζος/η Σκωτσέζα	o skotsézos/ i skotséza
scrambled eggs	η στραπατσάδα	i strapatsádha
screw	η βίδα	i vídha
screwdriver	το κατσαβίδι	to katsavídhi
sculpture	η γλυπτική	i ghliptikí
sea	η θάλασσα	i thálasa
search	ψάχνω	psáchno
search for	ψάχνω	psáchno
seasickness	η ναυτία	i naftía
seat	η θέση	i thési
seatbelt	η ζώνη	i zóni
second	δεύτερος	dhéfteros
second (of time)	το δευτερόλεπτο	to dhefterólepto
second-hand	μεταχειρισμένος	metahirizménos
secretion	η έκκριση	i ékrisi
sedative	το ηρεμιστικό	to iremistikó
see	βλέπω	vlépo
self-timer (photo)	ο αυτορρυθμιζόμενος φωτοφράκτης	o aftorithmizómenos fotofráktis
semi-skimmed	ημίπαχο	imípacho
send	στέλνω	stélno
sentence	η πρόταση	i prótasi
September	ο Σεπτέμβριος	o septémvrios
serious	σοβαρός	sovarós
service	η εξυπηρέτηση	i exipirétisi
shade	ο ίσκιος	o ískyos
shallow	ρηχός	richós
shampoo	το σαμπουάν	to sampwán
shark	ο καρχαρίας	o karcharías
shave (verb)	ξυρίζω	xirízo
shaver	η ξυριστική μηχανή	i xiristikí michaní
shaving soap	το σαπούνι ξυρίσματος	to sapóoni xirízmatos
shaving brush	το πινέλο ξυρίσματος	to pinélo xirízmatos

shaving cream	η κρέμα ξυρίσματος	*i kréma xirízmatos*
sheet	το σεντόνι	*to sendóni*
sherry	το σέρυ	*to séri*
shirt	το πουκάμισο	*to pookámiso*
shoe	το παπούτσι	*to papóotsi*
shoe shop	το υποδηματοπωλείο, το παπουτσάδικο	*to ipodhimatopolío, to papootsádhiko*
shoe polish	το βερνίκι παπουτσιών	*to verníki papootsyón*
shoelace	το κορδόνι	*to kordhóni*
shop assistant	η πωλήτρια	*i polítria*
shop	το μαγαζί	*to maghazí*
shop window	η βιτρίνα	*i vitrína*
shop	ψωνίζω	*psonízo*
shopping centre	το εμπορικό κέντρο	*to emborikó kéndro*
short circuit	το βραχυκύκλωμα	*to vrachikíkloma*
short	κοντός	*kondós*
shortly	σε λίγο	*se lígho*
shoulder	ο ώμος	*o ómos*
show	η παράσταση	*i parástasi*
shower	το ντους	*to doos*
shutter	το παντζούρι	*to padzóori*
sick	άρρωστος	*árostos*
side of the street	η μεριά του δρόμου	*i meryá too dhrómoo*
sieve	το σουρωτήρι	*to soorotíri*
sign (verb)	υπογράφω	*ipoghráfo*
sign	η πινακίδα	*i pinakídha*
signature	η υπογραφή	*i ipoghrafí*
silence	η ησυχία	*i isihía*
silver	το ασήμι	*to asími*
silver-plated	επάργυρος	*epáryiros*
simple	απλός	*aplós*
single (ticket)	απλό εισιτήριο	*apló isitírio*
single (unmarried)	ανύπανδρος	*anípandhros*
single	μονός	*monós*
sister	η αδερφή	*i adherfí*
sit	κάθομαι	*káthome*

size	το νούμερο	to nóomero
skating	το πατινάζ	to patináz
skin rash	το εξάνθημα	to exánthima
skin	το δέρμα	to dhérma
skirt	η φούστα	i fóosta
sleep	κοιμάμαι	kimáme
sleeping pills	τα υπνωτικά	ta ipnotiká
sleeping car	το βαγκον-λί	to vagonlí
slides	τα σλάιτς	ta sláidz
slip (woman's)	το μεσοφόρι	to mesofóri
slow train	το αργό τρένο	to arghó tréno
small	μικρός	mikrós
small change	τα ψηλά	ta psilá
smell of (verb)	βρομώ	vromó
smoke	ο καπνός	o kapnós
smoke (verb)	καπνίζω	kapnízo
smoked	καπνιστός	kapnistós
smoking compartment	το βαγόνι καπνίσματος	to vaghóni kapnízmatos
snake	το φίδι	to fídhi
snorkel	ο αναπνευστήρας	o anapnevstíras
snow	το χιόνι	to hyóni
snowing, it is	χιονίζει	hyonízi
soap powder	η σαπουνόσκονη	i sapoonóskoni
soap	το σαπούνι	to sapóoni
soap dish	η σαπουνιέρα	i sapoonyéra
socket	η πρίζα	i príza
socks	οι κάλτσες	i káltses
soft drink	το αναψυκτικό	to anapsiktikó
soft toy	το ζωάκι (παιδιού)	to zoáki (pedhyóo)
sole	η σόλα	i sóla
sole (fish)	η γλώσσα	i ghlósa
someone	κάποιος	kápyos
sometimes	μερικές φορές	merikés forés
somewhere	κάπου	kápoo
son	ο γιος	o yos
soon	γρήγορα	ghríghora

sore throat	ο πονόλαιμος	o ponólemos
sorry	λυπάμαι	lipáme
sort/type	το είδος	to ídhos
soup	η σούπα	i sóopa
sour	ξινός	xinós
source	η πηγή	i piyí
south wind	ο νοτιάς	o notyás
souvenir	το σουβενίρ	to soovenír
spaghetti	τα μακαρόνια	ta makarónya
spanner	το γαλλικό κλειδί	to ghalikó klidhí
spare tyre	η ρεζέρβα	i rezérva
spare wheel	η ρόδα ρεζέρβα	i ródha rezérva
spare	η ρεζέρβα	i rezérva
spare	το ανταλλακτικό	to andalaktikó
spare parts	τα εξαρτήματα ρεζέρβας	ta exartímata rezérvas
speak	μιλάω	miláo
special	εξαιρετικός	exeretikós
specialist	ο ειδικός	o idhikós
speciality	η σπεσιαλιτέ	i spesialité
speed limit	η ανώτατη ταχύτητα	i anótati tahítita
spell	συλλαβίζω	silavízo
spicy	πικάντικος	pikándikos
splinter	η αγκίδα	i angídha
spoon	το κουτάλι	to kootáli
sport	ο αθλητισμός	o athlitizmós
sports centre	το αθλητικό κέντρο	to athlitikó kéndro
sportsground	το γήπεδο	to yípedho
sprain	στραμπουλίζω	stramboolízo
spring	η άνοιξη	i ánixi
square	η πλατεία	i platía
square (shape)	το τετράγωνο	to tetrághono
square metre	το τετραγωνικό μέτρο	to tetraghonikó métro
squeeze (verb)	ζουλώ	zooló
stain	ο λεκές	o lekés
stairs	η σκάλα	i skála

stalls (theatre)	η πλατεία	*i platía*
stamp	το γραμματόσημο	*to ghramatósimo*
start	παίρνω μπρος	*pérno bros*
station	ο σταθμός	*o stathmós*
statue	το άγαλμα	*to ághalma*
stay	η διαμονή	*i dhiamoní*
stay (verb)	μένω	*méno*
steal	κλέβω	*klévo*
steel	το ατσάλι	*to atsáli*
stench	η μπόχα	*i bócha*
sticking plaster	ο λευκοπλάστης	*o lefkoplástis*
sting (verb)	τσιμπάω	*tsimbáo*
stitch (verb)	ράβω	*rávo*
stitches (medical)	τα ράμματα	*ta rámata*
stockings	οι κάλτσες	*i káltses*
stomachache	ο στομαχόπονος	*o stomachóponos*
stomach cramp	η κράμπα στην κοιλιά	*i krámpa stingilía*
stomach	το στομάχι	*to stomáchi*
stools (medical)	τα κόπρανα	*ta kóprana*
stop	σταματάω	*stamatáo*
stop	η στάση	*i stási*
stopover	η ενδιάμεση προσγείωση	*i endhiámesi prosyíosi*
storm, there is a	έχει τρικυμία	*ehí trikimía*
storm	η θύελλα	*i thíela*
straight hair	ίσια μαλλιά	*ísya malyá*
straight ahead	ίσια	*ísya*
straw	το καλαμάκι	*to kalamáki*
strawberries	οι φράουλες	*i fráooles*
street	ο δρόμος, η οδός	*o dhrómos, i odhós*
strike	η απεργία	*i aperyía*
stroll around town	η βόλτα στην πόλη	*i vólta stimbóli*
strong	δυνατός	*dhinatós*
study	σπουδάζω	*spoodházo*
stuffing	η γέμιση	*i yémisi*
subtitled	με υπότιτλους	*me ipotítloos*

succeed	τα καταφέρνω	*ta kataférno*
sugar	η ζάχαρη	*i záchari*
sugar cubes	οι κύβοι ζάχαρης	*i kívi zácharis*
suit	το κοστούμι	*to kostóomi*
suitcase	η βαλίτσα	*i valítsa*
summer time	η καλοκαιρινή ώρα	*i kalokyeriní óra*
summer	το καλοκαίρι	*to kalokyéri*
sun hat	το καπέλο ηλίου	*to kapélo ilíoo*
sun	ο ήλιος	*o ílyos*
sunbathing	η ηλιοθεραπεία	*i ilyotherapía*
Sunday	η Κυριακή	*i kiryakí*
sunglasses	τα μαύρα γυαλιά	*ta mávra yalyá*
sunrise	η ανατολή	*i anatolí*
sunset	το ηλιοβασίλεμα	*to ilyovasílema*
sunstroke	η ηλίαση	*i ilíasi*
suntan lotion	η κρέμα ηλίου	*i kréma ilíoo*
suntan oil	το λάδι ηλίου	*to ládhi ilíoo*
supermarket	η υπεραγορά	*i iperaghorá*
surcharge	το συμπληρωματικό ποσόν	*to simpliromatikó posón*
surf board	η σανίδα του σερφ	*i sanídha too serf*
surfing	το σέρφινγκ	*to sérfing*
surname	το επώνυμο	*to epónimo*
surprise	η έκπληξη	*i ékplixi*
swallow (verb)	καταπίνω	*katapíno*
swamp	το τέλμα	*to télma*
sweat	ο ιδρώτας	*o idhrótas*
sweet	γλυκός	*ghlikós*
sweetcorn	το καλαμπόκι	*to kalambóki*
sweets	οι καραμέλες	*i karaméles*
swim (verb)	κολυμπώ	*kolimbó*
swimming pool	η πισίνα	*i pisína*
swimming costume	το μαγιό	*to mayó*
swindle	η απάτη	*i apáti*
switch	ο διακόπτης	*o dhiakóptis*
synagogue	η συναγωγή	*i sinaghoyí*

table	το τραπέζι	*to trapézi*
table tennis	το πινγκ πονγκ	*to ping pong*
tablet	το χάπι	*to chápi*
take (photograph)	βγάζω	*vgházo*
take	παίρνω	*pérno*
take (verb, of time)	διαρκώ/κρατώ	*dhiarkó/krató*
take pictures	φωτογραφίζω	*fotoghrafízo*
talcum powder	το ταλκ	*to talk*
talk	μιλάω	*miláo*
tampon	το ταμπόν	*to tampón*
tap water	το νερό της βρύσης	*to neró tis vrísis*
tap	η βρύση	*i vrísi*
taste	δοκιμάζω	*dhokimázo*
tasty	νόστιμος	*nóstimos*
tax-free shop	το μαγαζί αφορολόγητων ειδών	*to maghazí aforolóyiton idhón*
taxi	το ταξί	*to taxí*
taxi stand	η στάση ταξί	*i stási taxí*
teaspoon	το κουταλάκι	*to kootaláki*
tea	το τσάι	*to tsái*
teapot	η τσαγιέρα	*i tsayéra*
tee shirt	η φανέλα	*i fanéla*
telegram	το τηλεγράφημα	*to tileghráfima*
telephone receiver	το ακουστικό	*to akoostikó*
telephone number	ο αριθμός τηλεφώνου	*o arithmós tilefónoo*
telescopic lens	ο τηλεφακός	*o tilefakós*
television	η τηλεόραση	*i tileórasi*
telex	το τηλέτυπο	*to tilétipo*
temperature	η θερμοκρασία	*i thermokrasía*
temporary filling	το προσωρινό σφράγισμα	*to prosorinó sfráyizma*
temporary	προσωρινός	*prosorinós*

tender	μαλακός	*malakós*
tennis ball	η μπάλα του τένις	*i bála too ténis*
tennis	το τένις	*to ténis*
tennis racket	η ρακέτα του τένις	*i rakéta too ténis*
tennis court	το γήπεδο τένις	*to yípedho ténis*
tent	η σκηνή	*i skiní*
tent peg	το πασαλάκι της σκηνής	*to pasaláki tis skinís*
terrible	φοβερός	*foverós*
thank you	ευχαριστώ	*efcharistó*
thank (verb)	ευχαριστώ	*efcharistó*
thaw	λιώνω	*lióno*
the same	το ίδιο	*to ídhyo*
theatre	το θέατρο	*to théatro*
theft	η κλοπή	*i klopí*
there	εκεί	*ekí*
thermometer	το θερμόμετρο	*to thermómetro*
thick	χοντρός	*chondrós*
thief	ο κλέφτης	*o kléftis*
thigh	το μπούτι	*to bóoti*
thin	λεπτός, αδύνατος	*leptós, adhínatos*
things	τα πράματα	*ta prámata*
think (verb)	νομίζω	*nomízo*
third	το τρίτο	*to tríto*
thirst	η δίψα	*i dhípsa*
this morning	σήμερα το πρωί	*símera to proí*
this evening	απόψε	*apópse*
this afternoon	σήμερα το απόγευμα	*símera to apóyevma*
thread	η κλωστούλα, η κλωστή	*i klostóola, i klostí*
throat lozenges	οι παστίλιες για το λαιμό	*i pastílyes ya to lemó*
throat	ο λαιμός	*o lemós*
throw up (be sick)	κάνω εμετό	*káno emetó*
thunderstorm	η καταιγίδα	*i kateyídha*
Thursday	η Πέμπτη	*i pémpti*
ticket	το εισιτήριο	*to isitírio*

tidy up (verb)	μαζεύω	*mazévo*
tie	η γραβάτα	*i ghraváta*
tights	το καλτσόν	*to kaltsón*
time	η ώρα	*i óra*
times	φορές	*forés*
timetable	το δρομολόγιο	*to dhromolóyo*
tinned food	η κονσέρβα	*i konsérva*
tip	το πουρμπουάρ	*to poorbwáar*
tissues	τα χαρτομάντηλα	*ta chartomándila*
to let	νοικιάζεται	*nikyázete*
toast (French-style)	η φρυγανιά	*i frighanyá*
tobacco	ο καπνός	*o kapnós*
tobacco (loose)	ο καπνός	*o kapnós*
tobacconist's	το καπνοπωλείο	*to kapnopolío*
today	σήμερα	*símera*
toe	το δάχτυλο	*to dháchtilo*
together	μαζί	*mazí*
toilet	η τουαλέτα	*i twaléta*
toilet paper	το χαρτί υγείας	*to chartí iyías*
toiletries	τα είδη τουαλέτας	*ta ídhi twalétas*
tomato puree	ο ντοματοπολτός	*o domatopoltós*
tomato	η ντομάτα	*i domáta*
tomato sauce	το κέτσαπ	*to kétsap*
tomorrow	αύριο	*ávrio*
tongue	η γλώσσα	*i ghlósa*
tonic water	το τόνικ	*to tónik*
tonight	απόψε	*apópse*
too	επίσης	*epísis*
tooth	το δόντι	*to dhóndi*
toothache	ο πονόδοντος	*o ponódhondos*
toothbrush	η οδοντόβουρτσα	*i odhondóvoortsa*
toothpaste	η οδοντόπαστα	*i odhondópasta*
toothpick	η οδοντογλυφίδα	*i odhondoghlifídha*
torch	ο φακός	*o fakós*
total	το σύνολο	*to sínolo*
tough	σκληρός	*sklirós*
tour guide	ο ξεναγός	*o xenaghós*

tour boat	το εκδρομικό καραβάκι	*to ekdhromikó karaváki*
tourist card	η τουριστική κάρτα	*tooristikí kárta*
tourist class	η τουριστική θέση	*i tooristikí thési*
tourist menu	το τουριστικό μενού	*to tooristikó menóo*
Tourist Information Office	το τουριστικό γραφείο	*to tooristikó ghrafío*
tow rope	το σκοινί τραβήγματος	*to skiní travíghmatos*
tow	τραβάω	*traváo*
towel	η πετσέτα	*i petséta*
tower	ο πύργος	*o pírghos*
town-hall	το δημαρχείο	*to dhimarchío*
toys	τα παιχνίδια	*ta pechnídhya*
traffic light	το φανάρι	*to fanári*
traffic	η κυκλοφορία	*i kikloforía*
train ticket	το εισιτήριο τρένου	*to isitírio trénoo*
train	το τρένο	*to tréno*
trainers	τα παπούτσια αθλητισμού	*ta papóotsya athlitizmóo*
translate	μεταφράζω	*metafrázo*
travel agent	το πρακτορείο ταξιδίων	*to praktorío taxidhíon*
travel	ταξιδεύω	*taxidhévo*
traveller	ο ταξιδιώτης	*taxidhyótis*
traveller's cheque	η ταξιδιωτική επιταγή	*i taxidhyotikí epitayí*
treatment	η θεραπεία	*i therapía*
triangle	το τρίγωνο	*to tríghono*
trim (verb)	ψαλιδίζω	*psalidhízo*
trip	το ταξίδι	*to taxídhi*
trousers	το παντελόνι	*to pandelóni*
trout	η πέστροφα	*i péstrofa*
trunk (call)	υπεραστικός	*iperastikós*
try on	δοκιμάζω	*dhokimázo*
tube	το σωληνάριο	*to solinário*
Tuesday	η Τρίτη	*i tríti*

tumble drier	το στεγνωτήριο	*to steghnotírio*
tuna	ο τόννος	*o tónos*
tunnel	το τούνελ	*to tóonel*
TV guide	ο οδηγός ραδιοφώνου/ τηλεόρασης	*o odhighós radhiofónoo/tileórasis*
tweezers	το τσιμπιδάκι	*to tsimbidháki*
tyre	το εξωτερικό λάστιχο	*to exoterikó lásticho*
tyre pressure	η πίεση λάστιχων	*i píesi lástichon*
tyre lever	ο μοχλός για την αφαίρεση λάστιχων	*o mochlós ya tin aféresi lástichon*
ugly	άσχημος	*áschimos*

U

ulcer	το έλκος	*to élkos*
umbrella	η ομπρέλα	*i ombréla*
under	κάτω από	*káto apó*
underground	το μετρό	*to metró*
underground train system	το δίκτυο του μετρό	*to dhíktio too metró*
underground station	ο σταθμός του μετρό	*o stathmós too metró*
underpants (ladies')	το σλιπάκι	*to slipáki*
underpants	το σώβρακο	*to sóvrako*
understand	καταλαβαίνω	*katalavéno*
underwear	τα εσώρουχα	*ta esóroocha*
undress	γδύνω	*ghdhíno*
unemployed	άνεργος	*ánerghos*
uneven	άνισος	*ánisos*
university	το πανεπιστήμιο	*to panepistímio*
unleaded	αμόλυβδος	*amólivdhos*
urgency	η βιασύνη	*i viasíni*
urgent	επείγον	*epíghon*
urine	τα ούρα	*ta óora*

use (verb)	χρησιμοποιώ	*chrisimopyó*
usually	συνήθως	*siníthos*
utensil (cooking)	το σκεύος	*to skévos*
vacate	αδειάζω	*adhyázo*

V

vaccinate	εμβολιάζω	*emvolyázo*
vagina	ο κόλπος	*o kólpos*
vaginal infection	η κολπική μόλυνση	*i kolpikí mólinsi*
valid	έγκυρος	*éngkiros*
valley	η κοιλάδα, το λαγκάδι	*i kiládha, to langádhi*
valuable	πολύτιμος	*polítimos*
van	το φορτηγάκι	*to fortigháki*
vanilla	η βανίλια	*i vanílya*
vase	το βάζο	*to vázo*
vaseline	η βαζελίνη	*i vazelíni*
veal	το μοσχαρίσιο κρέας	*to moscharísyo kréas*
vegetable soup	η χορτόσουπα	*i chortósoopa*
vegetables	τα λαχανικά	*ta lachaniká*
vegetarian	ο χορτοφάγος	*o chortofághos*
vein	η φλέβα	*i fléva*
venereal disease	το αφροδίσιο νόσημα	*to afrodhísyo nósima*
vest	η φανέλλα	*i fanéla*
via	μέσω	*méso*
video recorder	το βίντεο	*to vídeo*
videotape	η βιντεοταινία	*i videotenía*
view	η θέα	*i théa*
village festival/fair	το πανηγύρι	*to paniyíri*
village woman	η χωριάτισσα	*i choriátisa*
village	το χωριό	*to choryó*
viral infection	η ίωση	*i íosi*
visa	η βίζα	*i víza*
visit	η επίσκεψη	*i epískepsi*
visit (verb)	επισκέπτομαι	*episképtome*

visiting time	η ώρα επίσκεψης	*i óra episképsis*
vitamin pills	τα χάπια βιταμίνης	*ta chápya vitamínis*
vitamin	η βιταμίνη	*i vitamíni*
volcano	το ηφαίστειο	*to iféstio*
volleyball	το βόλλεϋ	*to vólei*
vomit	κάνω εμετό	*káno emetó*
wait for	περιμένω	*periméno*

W

waiter	το γκαρσόνι	*to garsóni*
waiting room	η αίθουσα αναμονής	*i éthoosa anamonís*
waitress	η σερβιτόρα	*i servitóra*
wake up	ξυπνάω	*xipnáo*
Wales	η Ουαλλία	*i walia*
walk	ο περίπατος	*o perípatos*
walk (verb)	περπατώ	*perpató*
wallet	το πορτοφόλι	*to portofóli*
wardrobe	η γκαρντ-ρόμπα	*i gard-róba*
warm	θερμός, ζεστός	*thermós, zestós*
warn	προειδοποιώ	*proidopió*
warning	η προειδοποίηση	*i proidhopíisi*
wash	πλένω	*pléno*
washing machine	το πλυντήριο	*to plindírio*
washing	η μπουγάδα	*i booghádha*
washing powder	το απορρυπαντικό	*to aporipandikó*
washing line	το σκοινί μπουγάδας	*to skiní booghádhas*
wasp	η σφήκα	*i sfíka*
water	το νερό	*to neró*
water-ski	το θαλάσσιο σκι	*to thalásio ski*
waterfall	ο καταρράχτης	*o kataráchtis*
waterproof	αδιάβροχος	*adhiávrochos*
wave-pool	πισίνα με κύματα	*pisína me kímata*
waves	τα κύματα	*ta kímata*
way (road)	ο δρόμος	*o dhrómos*
way	η κατεύθυνση	*i katéfthinsi*

way, on the	στο δρόμο	*sto dhrómo*
we	εμείς	*emís*
weak	αδύνατος	*adhínatos*
weather	ο καιρός	*o kyerós*
weather forecast	το μετεωρολογικό δελτίο	*to meteoroloyikó dheltío*
wedding	ο γάμος	*o ghámos*
Wednesday	η Τετάρτη	*i tetárti*
week	η εβδομάδα	*i evdhomádha*
weekend	το σαββατοκύριακο	*to savatokíryako*
weekly ticket	η εβδομαδιαία κάρτα	*evdhomadhiéa kárta*
welcome	καλώς ήρθατε	*kalós írthate*
well done (cooking)	καλοψημένος	*kalopsiménos*
well	καλά	*kalá*
well	καλός	*kalós*
west (to the)	δυτικά	*dhitiká*
wet	υγρός	*ighrós*
what?	τί;	*ti?*
wheel	η ρόδα	*i ródha*
wheelchair	το καροτσάκι (αναπήρων)	*to karotsáki (anapíron)*
when?	πότε;	*póte?*
where?	πού;	*poo?*
which?	ποιός;	*pyos?*
whipped cream	η σαντιγί	*i santiyí*
white	άσπρος	*áspros*
who?	ποιός;	*pyos?*
why?	γιατί;	*yatí?*
wide-angle lens	ο ευρυγώνιος φακός	*o evrighónyos fakós*
widow	η χήρα	*i híra*
widower	ο χήρος	*o híros*
wife	η γυναίκα	*i yinéka*
wind	ο άνεμος	*o ánemos*
windbreak	ο ανεμοφράκτης	*o anemofráchtis*
window	το παράθυρο	*to paráthiro*
window (booking office, bank)	η θυρίδα	*i thirídha*

wine	το κρασί	to krasí
wine list	ο κατάλογος κρασιών	o katáloghos krasyón
winter	ο χειμώνας	o himónas
witness	ο μάρτυρας	o mártiras
woman	η γυναίκα	i yinéka
wood	το ξύλο	to xílo
wool	το μαλλί	to malí
word	η λέξη	i léxi
work	η δουλειά	i dhoolyiá
working day	η εργάσιμη ημέρα	i erghásimi méra
workout	η άσκηση	i áskisi
worn	τριμμένος	triménos
worried	ανήσυχος	anísichos
wound	η πληγή	i pliyí
wrap	τυλίγω	tilígho
wrist	ο καρπός	o karpós
write	γράφω	ghráfo
write down	καταγράφω	kataghráfo
writing paper	το χαρτί αλληλογραφίας	to chartí aliloghrafías
written document	γραπτά	ghraptá
wrong	λάθος	láthos
yacht	το γιωτ	to yot
year	ο χρόνος	o chrónos
yellow	κίτρινος	kítrinos
yes	ναι	ne

Y/Z

yesterday	χτες	chtes
yoghurt	το γιαούρτι	to yaóorti
you	εσείς	esís
youth hostel	ο ξενώνας νεότητας	o xenónas neótitas
zip	το φερμουάρ	to fermwár
zoo	ο ζωολογικός κήπος	o zo-oloyikós kípos

1 The Greek alphabet

(See also 1.8 Telephone alphabet)

α	Α	álfa	somewhere between **a** in **mast** and **u** in **cup**
β	Β	víta	as **v** in **van**
γ	Γ	gháma	as **y** in **yet** before **e** and **i** sounds; before any other sound, a hard **g** (as in **grab**) as far down your throat as possible. (This sound is shown as **gh** in the transcriptions.)
δ	Δ	dhélta	as hard **th** in **this**
ε	Ε	épsilon	as **e** in **met**
ζ	Ζ	zíta	as **z** in **zoo**
η	Η	íta	as **i** in **quarantine** (i.e. like the **ee** in **feet**)
θ	Θ	thíta	as soft **th** in **thin**
ι	Ι	yóta	as **i** in **quarantine** (i.e. like **ee** in **feet**), but before another vowel often becomes **y-** as in **yacht**)
κ	Κ	kápa	as **k** in **kitchen**, but before **e-** and **i-** sounds, more like **ky**)
λ	Λ	lámdha	as **l** in **lick**
μ	Μ	mi	as **m** in **mat**
ν	Ν	ni	as **n** in **not**
ξ	Ξ	xi	as **x** in **box**
ο	Ο	ómikron	as **o** in **pop**
π	Π	pi	as **p** in **pin**
ρ	Ρ	ro	closer to a Scots **r** than an English one
σ,ς	Σ	síghma	like a soft English **s** as in **sit**, except before the sounds **b**, **gh**, **dh** and **m**, when it is like **z**
τ	Τ	taf	as **t** in **tin**
υ	Υ	ípsilon	as **i** in **quarantine** (i.e. like the **ee** in **feet**)
φ	Φ	fi	as **f** in **fit**
χ	Χ	hi	as **h** in **hat** before **i** or **e** sounds; before any other sound, as Scots **ch** in **loch**
ψ	Ψ	psi	as combination of **p** and **s** in **tops**
ω	Ω	omégha	as **o** in **pop**

2 Vowels

There are only five vowels sounds in Greek, approximating to the English sounds a (see α), e (see ε), ee (see ι), o (see o) and oo as in foot (spelt ou), but several of these sounds can be written in a number of ways:

ε, αι both = **e** in **met**

η, ι, υ, ει, οι = **i** in **quarantine** (ie. like **ee** in **feet**)

o, ω = **o** in **pot**

N.B. αυ and ευ are pronounced **av** and **ev** before β, γ, δ, ζ, λ, μ, ν, ρ, τ or another vowel; before anything else they are pronounced **f**. Thus αυγό (egg) is pronounced *avghó* but απόλαυση (enjoyment) is pronounced *apólafsi*.

3 The consonant combinations

As well as the single consonant sounds indicated above in the description of the alphabet, there are a number of sounds which can only be written with two consonants together. These are:

b as in **bet** = μπ

d as in **dog** = ντ

g as in **gap** = γκ.

Similarly, when one word ends in the sound n and the next begins with the sound p, t, or k the following changes occur:

τον πατέρα (ton patéra – the father) becomes *tombatéra*

την ταβέρνα (tin tavérna – the taverna) becomes *tindavrna*

τον καταλογο (ton katálogho) becomes *tongatálogho*.

The following combinations of consonants also make particular sounds:

γγ = **ng** as in **sing**

γξ = **n(g)x** – somewhere between **things** and **thinks**

γχ = **n(g)ch** – try pronouncing the middle of **melancholy** with a Scots **ch** after the **n**. Fortunately, the last two combinations are relatively rare!

4 Stress and accents

The accents on Greek words indicate where the stress goes. In the pronunciation guide the stresses are also marked with an accent, e.g. ο πατέρας = *o patéras*. The vowel **ou** is transcribed as οο when not stressed and όο when stressed.

N.B. Any two other vowels together in the transcription must be pronounced separately, e.g. αεροδρόμιο must be pronounced *a-e-rodhrfimyo*.

5 Nouns

Greek nouns each have a gender, which can be masculine, feminine or neuter. They also have endings which change to show whether they are singular or plural, and whether they are nominative, accusative or genetive case. The nominative case is always used for the subject of an action; the accusative is used for the direct object of an action and after most prepositions (in, to, for etc.); the genetive is used to show possession (of someone or something) or indirect objects (to someone or something).

The most common forms are as follows:
masculine nouns have a singular nominative ending in:-ος,-ας or -ης
a corresponding plural nominative endings in: -οι -ες -ες
feminine nouns have a singular nominative ending in: -η or -α
a plural nominative ending in: -ες
neuter nouns have a singular nominative ending in: -ο, -ι, or -α
a corresponding plural nominative ending in: -α, -ια -ατα

In a brief introduction to Greek grammar it is not possible to give all the details of all the categories of nouns. Here are three common nouns in all the cases of both singular and plural, with the definite article (the):

	masculine singular	**masculine plural**
nominative (subject case)	ο δρόμος (the road)	οι δρόμοι
accusative (direct object case)	τον δρόμο	τους δρόμους
genitive (indirect object case)	του δρόμου	των δρόμων

	feminine singular	**feminine plural**
nominative (subject case)	η γυναίκα (woman)	οι γυναίκες
accusative (direct object case)	τη(ν) γυναίκα	τις γυναίκες
genitive (indirect object case)	της γυναίκας	των γυναίκων

	neuter singular	**neuter plural**
nominative (subject case)	το παιδί (child)	τα παιδιά
accusative (direct object case)	το παιδί	τα παιδιά
genitive (indirect object case)	του παιδιού	ού των παιδιών

N.B. Like nouns the definite article (the) also has, as can be seen from the above examples, three genders and nine cases. It must always agree with its noun in number, gender and case. Christian names, names of countries, days of the week and months all take a definite article in front of them, eg. ο Γιάννης (John), η Αγγλία (England), η Παρασκευή (Friday), ο Μάιος (May).

6 Adjectives

Adjectives in Greek behave like the definite article: they agree in gender, number and case with the noun which they describe. The most common form of adjective has endings which are similar to those of the nouns:

	masc. singular	fem. singular	neut. singular
nominative (subject case)	-ος	-α/-η	-ο
accusative (direct object case)	-ο	-α/-η	-ο
genetive (indirect object case)	-ου	-ας/-ης	-ου
	masc. plural	fem. plural	neut. plural
nominative (subject case)	-οι	-ες	-α
accusative (direct object case)	-ους	-ες	-α
genetive (indirect object case)	-ων	-ων	-ων

Adjectives usually stand before their noun, as in English. The words αυτός (this) and εκείνος (that) also function as adjectives, but they stand before the definite article. So this beautiful house and of that beautiful woman in Greek are: αυτό το ωραίο σπίτι and εκείνης της ωραίας γυναίκας.

7 Verbs

Verbs in Greece are very complex. They are made up of two parts: the stem, which gives the main idea of the verb (eg. have, want, drink), and the ending, which shows whether the action is singular or plural, first, second or third person, and past or present. So in the verb πληρώνω (pay), the stem is πληρών- (the idea of payment) and the ending -ω shows that the action is first person singular and present tense. There are two stems for most verbs, and also different sets of endings for active and passive. It is obviously not possible to give more than very basic information in a brief introduction like this. Below is the present tense (active) of the verbs έχω (have) and Θέλω (want), divided up to show the standard endings.

I have ἐχ-ω (écho)
You have ἐχ-εις (éhis)
He/she/it has ἐχ-ει (éhi)
We have ἐχ-ουμε (échoome)
You have ἐχ-ετε (éhete)
They have ἐχ-ουν (échoon)

I want Θέλ-ω (thélo)
You want Θέλ-εις (thélis)
He/she/it wants Θέλ-ει (théli)
We want Θέλ-ουμε (théloome)
You want Θέλ-ετε (thélete)
They want Θέλ-ουν (théloon)

8 Personal pronouns

As we have seen no separate word for I, you, we etc. is necessary to show the subject of an action, as the ending of the verb gives you this information. The object forms of the personal pronoun are as follows:

me = με, you (sing.) = σε, him = τον, her = τη, it = τον, τη or το (according to the gender) we = μας, you (plur.) = σας, they = τους (for people) or τους or τα (for things). These forms stand before the verb, eg. το Θέλω (I want it). To say my, your, his etc., use the following forms after the noun: my = μου, your (sing.) = σου, his = του, her = της, our = μας, your (plur.) = σας, their = τους (for people and things): eg. τα παιδιά μας = our children.

9 Prepositions

The most common prepositions are για (for), από (from) and σε (in or to). They are all followed by the accusative case, eg. από την Αθήνα (from Athens), για τον φίλο μου (for my friend). The preposition σε contracts with the definite article in the following ways: σε+τον = στον, σε+την = στην, σε+το = στο, eg. στο Λονδίνο (in London).